Rappelle-toi Barbara Il pleuvait sans cesse sur Brest ce jour-là

...Et tu marchai
Epanouie ravie ruisselant

souriante
Sous la pluie
Rappelle-toi Barbara...

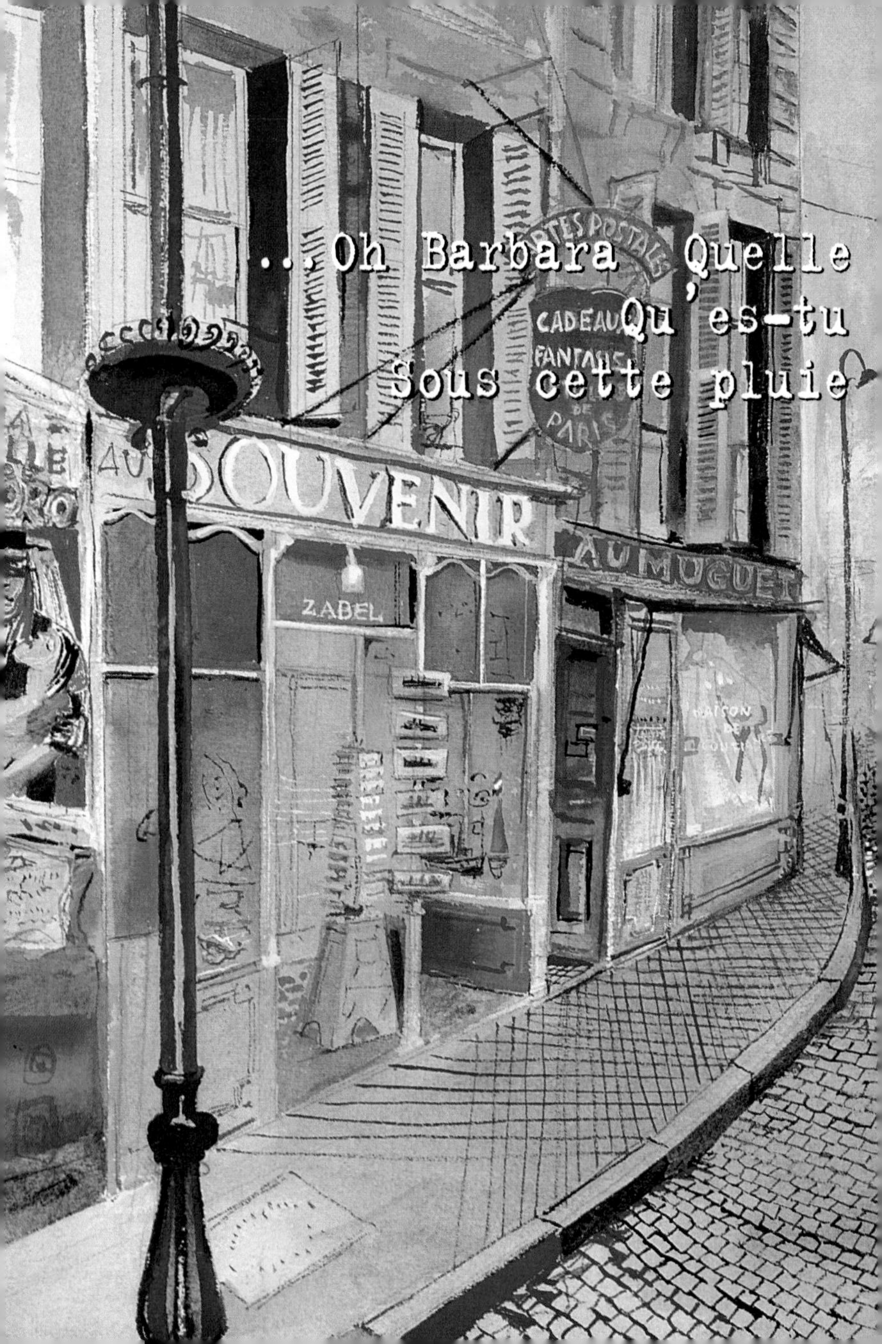
...Oh Barbara Quelle
Qu'es-tu
Sous cette pluie
AU SOUVENIR
CADEAU
PARIS
ZABEL
AU MUGUE

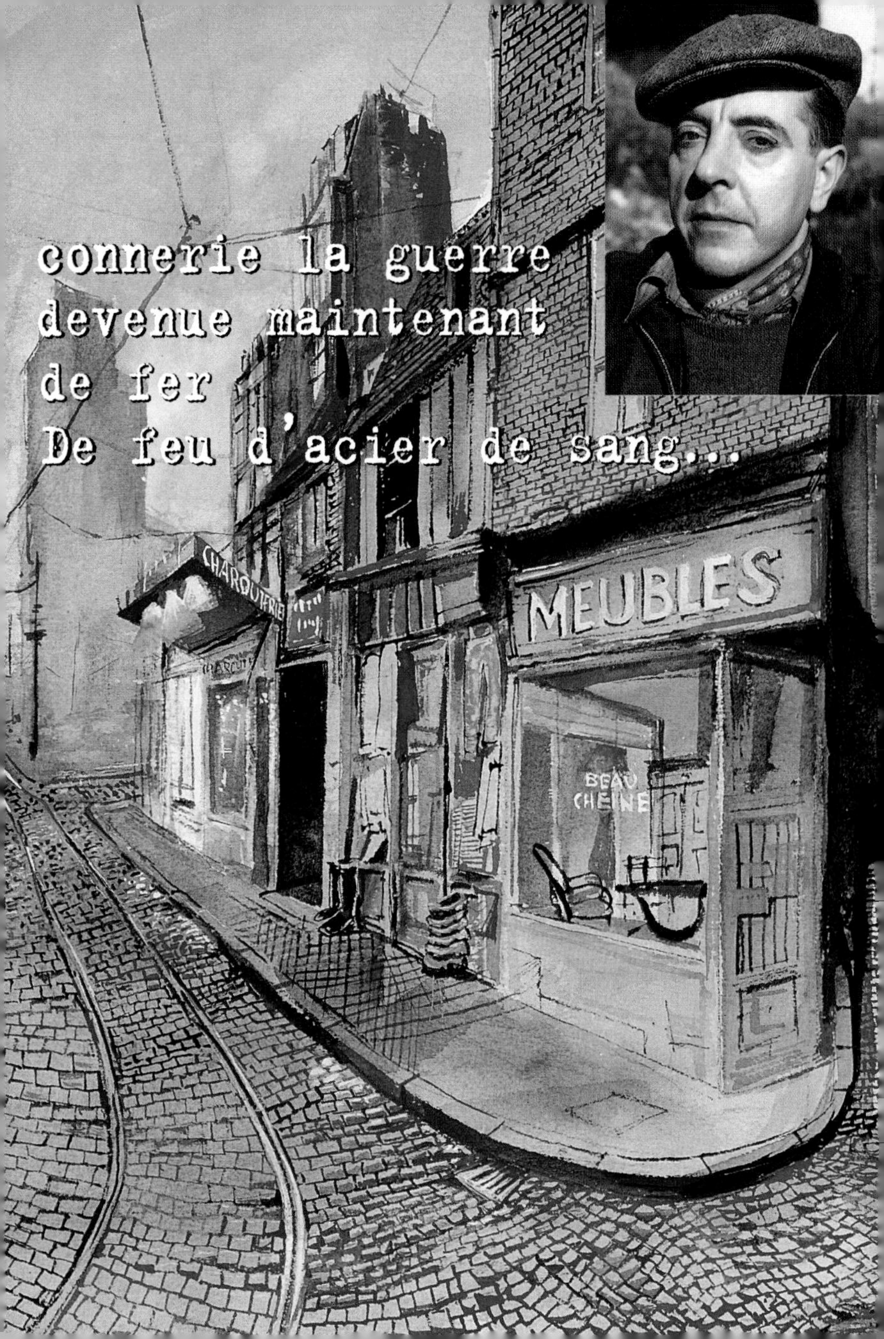

connerie la guerre
devenue maintenant
de fer
De feu d'acier de sang...

HOTEL
...Oh Barbara
Il pleut sans cesse
Comme il pleuvait
Mais ce n'est plus

sur Brest
avant
pareil et tout est abîmé...

Bernard Chardère avait seize ans quand il lut *Paroles* et vit *Les Enfants du paradis*. Il créa, à Lyon, la revue de cinéma *Positif* et, successivement, les Films du Galion pour produire, la revue *Premier Plan* pour étudier, le ciné-club Cinéma en France pour projeter, enfin l'Institut Lumière – rue du Premier-Film – pour diffuser, toujours, des films. Il est l'auteur de courts métrages, d'articles critiques et d'essais, dont *Lumière : le Roman et les Images* (Gallimard), *Les Dialogues-culte du cinéma français* (Larousse), d'une présentation des *Enfants du paradis* (J.-P. de Monza) et du *Cinéma de Jacques Prévert* (Castor astral) ainsi que d'une autobiographie fragmentaire : *Carnets de guère* (Climats).

Pour Alice

1er dépôt légal : avril 1997
Dépôt légal : février 2001
Numéro d'édition : 1506
ISBN : 2-07-053384-0
Imprimerie Kapp Lahure Jombart, à Evreux

JACQUES PRÉVERT
INVENTAIRE D'UNE VIE

Bernard Chardère

DÉCOUVERTES GALLIMARD
LITTÉRATURE

«Ecris-le, mon petit, tu le dis si bien», lui répétait déjà son aimable père. Il était né avec le siècle, sans cuillère en or dans la bouche, mais sacrément doué pour la parole! Le Jacques Prévert des années 1920, rebelle, saura tenir sous le charme de son verbe ses amis Duhamel, Tanguy, Queneau, Breton. On joue au «cadavre exquis», on discute aux terrasses des cafés, on adore le cinéma populaire, on provoque le bourgeois...

CHAPITRE PREMIER
POUR COMMENCER

Une enfance vivante, avec un père plus farfelu que chef de famille, une mère qui lui raconte des histoires, un chat et quelques déménagements... Sauf dans le bref récit intitulé «Enfance», Jacques Prévert (à gauche, juché sur un âne au parc des Buttes-Chaumont) dira toujours sa réticence à «raconter sa vie».

Raconte pas ta vie.

Reprenant comme à son habitude une locution populaire, Jacques Prévert se donnait ce conseil à lui-même : «Raconte pas ta vie»... Il ne s'autorisa qu'une exception : «Enfance», récit de ses onze premières années, publié en 1959 dans l'hebdomadaire *Elle*, où il livre une foule de détails, pittoresques et doux-amers, à propos de sa jeunesse qui n'avait pas été celle d'un gosse de riches mais, mieux, celle d'un enfant aimé.

Un enfant du siècle

Son père André, fils de Auguste Prévert et de Sophie Leys, né à Nantes en 1870, fut élevé dans un petit séminaire dont il ne gardait pas bon souvenir. Il épousa en 1896 à Paris l'Auvergnate Suzanne Catusse, qui faisait des sacs en papier pour les Halles. L'année suivante, ils eurent un premier fils, Jean. Jacques naissait le 4 février 1900 à Neuilly. Un troisième enfant, Pierre, vint en 1906.

André Prévert-Leys aurait aimé être acteur, comme son frère Dominique (son autre frère, Ernest, qui avait volé une robe pour une fille, fut envoyé à Mettray, redoutable maison de correction, par «Auguste le Sévère»). Faute de mieux, il fréquentait les théâtres, faisait de la critique dramatique, signait un feuilleton («Mon père, dira

André Prévert, dit le Père Picon vu son penchant pour l'Amer du même nom, «tenait ses assises au café de l'Hôtel de Ville». En 1895, il publie dans *Le Plébiscite* un feuilleton : «Diane de Malestreck».

« Qu'il fasse soleil ou que tombent les feuilles ou la neige, ma mère nous emmenait au bois. » Ci-contre, juchés sur de petits ânes, tout comme, à gauche, en médaillons, les trois frères : de gauche à droite, Jacques, Pierre, le benjamin, et Jean, l'aîné.

Chaque semaine, la famille Prévert allait déjeuner chez le grand-père Auguste, «le Sévère» (ci-dessous), rue Monge : «La place Maubert, le quartier le plus mal famé de Paris, une honte, disait mon grand-père, heureusement qu'il y a Notre-Dame.» Et tous les dimanches, il s'enquerrait du travail de son fils André auprès des pauvres, qu'il évoquait «avec une condescendante commisération».

Jacques, avait un petit brin de plume, entre tous ses métiers»). Il était bonapartiste, nationaliste, mais également anticlérical et antigouvernemental : tout cela pour contrarier son propre père, royaliste bon teint, catholique «intégriste», paroissien dévoué de Saint-Nicolas-du-Chardonnet et président parisien de l'Office des œuvres de bienfaisance. Toujours est-il que le chat de la famille était surnommé Loubet (comme le président de la République) et que des manifestants criaient : «A bas Loubet!», ce qui révoltait Jacques.

«J'aimais tout ce que mon grand-père méprisait»

«Dans un très joli jardin» proche de leur domicile, le petit Jacques joue avec un petit Louis (Toucas-Massillon, fils non reconnu de Louis Andrieux, qui sera préfet de police; plus tard, il se fera connaître sous le nom de Louis Aragon). Sa mère lui apprend à lire dans *L'Oiseau bleu* et *La Belle et la Bête*; il lit tout seul *Les Mille et Une Nuits* ou *Le Tour de France de deux enfants* – «Je n'aime pas Jules Verne mais j'aime beaucoup Wells». Vacances en Bretagne (son grand-père Auguste était originaire d'Ille-et-Vilaine); déménagement à Toulon, où les Prévert tirent le diable par la queue jusqu'à ce que ce même grand-père trouve pour son fils un emploi sur mesure : visiteur des pauvres (pour juger s'ils méritent une aide et en font bon usage). La famille se réinstalle alors modestement à Paris, où elle occupera trois appartements successifs entre Saint-Sulpice et l'Odéon.

Jacques accompagnera souvent son père, le jeudi, dans ces instructives visites : «Chez mon grand-père, il n'y avait que des gens parfaitement bien élevés : ils étaient méchants. J'aimais tout ce que mon grand-père méprisait : les femmes en cheveux, les ouvriers jamais contents. [...] Je plaignais trop ceux qui travaillaient dur pour avoir envie de travailler un jour; je les aimais,

Encadrement clérical, instruction religieuse, si l'école Hamon (ci-contre) correspond parfaitement aux choix du grand-père paternel, Jacques préfère l'école buissonnière, dans le tout proche jardin du Luxembourg et son musée. Il y découvre un tableau de Puvis de Chavannes, *Le Pauvre Pêcheur* (ci-dessous), qui toute sa vie lui rappellera son père.

Contemplant, dans un sous-verre doré, sa mère assise, les doigts posés sur le clavier, Prévert amusé commente : «Elle était encore plus drôle que jolie, cette photo [page de gauche], car ma mère ne savait pas du tout jouer du piano, mais grand-mère avait beaucoup tenu à ce que la chose soit faite parce que la chose "faisait bien"!»

ils étaient bien élevés, ils parlaient vrai.»

Il a sept ans, il va à l'école André Hamon, rue d'Assas; il se promène au jardin du Luxembourg, voit beaucoup de films, se faufilant parfois jusqu'à l'écran «en qualité de spectateur clandestin». Il a onze ans, on le baptise à l'église Saint-Sulpice – il avait reçu seulement l'ondoiement un mois et demi après sa naissance. Son père s'efforce de partager avec lui ses passions, l'emmène au théâtre de l'Odéon, au musée du Luxembourg. La guerre de 14 va mettre fin à sa formation scolaire.

L'adolescence inavouée

En 1915, Jacques travaille au Bazar de la rue de Rennes, puis, en 1916, au Bon Marché. Enfin... à sa façon : c'était, a-t-il raconté, «du déplacement d'objets» (du détournement?); afin de recevoir chez lui certaines choses par la poste, «il fallait s'arranger». Mais tel ne fut pas le motif de son renvoi, tout juste cinq mois après son embauche; il s'agissait plutôt d'avoir détourné de ses devoirs une demoiselle du magasin, ainsi que de son «mauvais esprit». Les orientations sont prises.

(Jean, son frère aîné, est emporté par la typhoïde, à dix-sept ans.)

«A cette époque, l'appellation contrôlée "jeunesse délinquante" n'était pas encore employée.» Sur sa vie entre quinze et vingt ans, Prévert n'en dira guère plus; à peine a-t-il griffonné quelques notes : ses «humanités» à la Villon, faites dans les rues, la drogue, son arrestation pour avoir pris le parti de soldats mutinés qui, en 1917, chantaient «C'est à Craonne, sur le plateau...», complainte interdite contre la guerre. «Je suis sérieusement amoché place Saint-Sulpice.» Et encore : «Pour un tas de raisons fort délicates, il faut que "j'achète une conduite". [...] Je m'engage, [...] un beau geste, pour lequel il me sera pardonné bien des choses. Fin de l'adolescence.»

Le caporal Prévert

En mars 1920, Jacques doit donc partir pour le service militaire. D'abord près de Lunéville, où il rencontre le Breton Yves Tanguy,

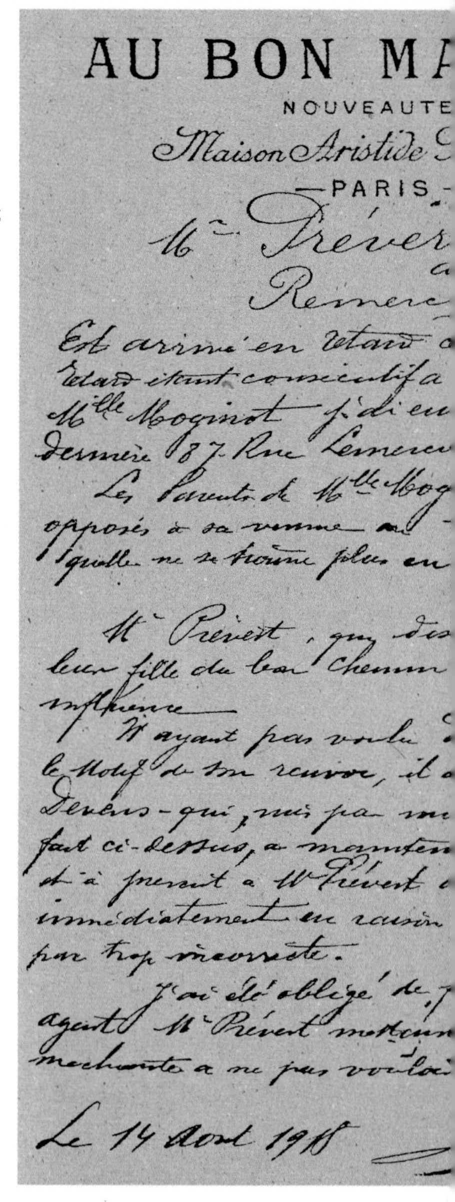
AU BON MA
NOUVEAUTE
Maison Aristide
— PARIS —
Mr Prévert
Rennes
Est arrivé en retard
retard étant consécutif à
Mlle Moginot
dernière 87 Rue Lemerci
Les Parents de Mlle Mog
opposés à sa venue
qu'elle ne se trouve plus en
Mr Prévert, qui
leur fille du bon chemin
influence
N'ayant pas voulu
le motif de son renvoi, il
fait ci-dessus, a maintenu
et a prescrit à Mr Prévert
immédiatement en raison
par trop incorrecte.
J'ai été obligé de
agent Mr Prévert
méchante à ne pas voulo
Le 14 Août 1916

qui essaie vainement de se faire réformer en croquant des araignées, et «Roro», un garçon boucher d'Orléans avec lequel, un an plus tard, il sera affecté à l'Armée d'Orient. Jeune caporal à Constantinople, il y fait la connaissance de Marcel Duhamel.

En mars 1922, Prévert démobilisé rend visite à Orléans à la mère du garçon boucher qui, ayant trouvé sa femme avec un autre, s'est tiré une balle dans la tête – premier suicide d'un proche. Il passe quelque temps à découper des articles de journaux à l'Argus

Une hirondelle ne fait pas le printemps, mais deux oiseaux pareils – Jacques Prévert et Yves Tanguy (ci-contre, en 1920, à Saint-Nicolas-de-Port) – suffiraient à défaire une armée, fût-elle d'Orient! Caporal au 37e régiment d'infanterie, puis envoyé à Constantinople, Prévert restera un antimilitariste irréductible, «pacifiste irrévérencieux» (Gaston Bouthoul).

«Monsieur Prévert, auxiliaire de publicité, est arrivé en retard ce matin», relate un chef de rayon du Bon Marché dans une note datée du 14 août 1918 (à gauche), «ce retard étant consécutif à une absence de Mlle Moginot. […] Les parents de Mlle Moginot se sont opposés à sa venue au magasin afin qu'elle ne se trouve plus en présence de M. Prévert qui, disent-ils, a détourné leur fille du bon chemin» et exerce sur elle une mauvaise influence. Le jeune Prévert, «remercié» sans que personne ne veuille lui donner le véritable motif de son renvoi, se rebiffe et refuse de s'exécuter séance tenante. «J'ai été obligé de faire appeler un agent, M. Prévert mettant une obstination méchante à ne pas s'en aller», conclut le chef de rayon.

Trois joyeux drilles à Locronan (ci-contre) : Marcel Duhamel (à gauche) et Yves Tanguy (au centre), tous deux connus à l'armée, sont en 1925 les plus vieux copains de Jacques Prévert.

Devant la grille de la rue du Château (page de droite), Jacques, tiré à quatre épingles, comme il le sera toujours. «Il n'est personne qui donne un tour de profondeur si folle à une conversation plaisante, faite de saillies de noire malice et d'un jeu verbal enragé», témoigne un ami de l'époque, Georges Bataille.

En 1924, comble de l'ironie, Prévert tient, dans le film de Henri Fescourt *Les Grands*, le rôle d'un élève studieux, ou du moins dont les rêves sont peuplés de chiffres (ci-dessous).

de la Presse. Trois étés de suite, Duhamel et lui séjournent à Locronan, chez la mère de Tanguy, avec Jeannette Ducrocq, qui épousera Yves, et Simone Dienne, une amie d'enfance qui, elle, épousera Jacques le 30 avril 1925. Le premier groupe d'intimes comprend aussi Pierre Prévert, Pierrot le petit frère, qui travaille dans une maison de distribution de films. Egalement Maurice

Touzé, venu d'Aix-en-Provence pour faire du théâtre; avec Jacques, ils jouent des collégiens dans *Les Grands* de Henri Fescourt, en 1924.

«Cadavres exquis» rue du Château

Cette année-là, la famille de Marcel Duhamel lui confie la direction d'un petit hôtel près des Champs-Elysées. Il va pouvoir louer et remettre en état – meubles de Tanguy, rideaux de Lurçat, lampes de Chareau – la maisonnette d'un marchand de peaux de lapins, à Montparnasse, 54 rue du Château. Les trois couples amis (Duhamel vit avec Gazelle Dabija) auront chacun leur chambre, avec une loggia et des canapés pour les hôtes de passage. Tanguy expose ses premières toiles à la galerie... L'Araignée! Dans la librairie d'Adrienne Monnier, il découvre Chirico, Prévert *Les Chants de Maldoror*; tous les deux se prennent d'intérêt pour *La Révolution surréaliste*.

«Je ne voulais travailler nulle part, dira plus tard Prévert. On dit que la paresse c'est la mère de tous les vices : moi, je trouvais que le père, c'était le travail. Marcel Duhamel nous faisait vivre. Nous nous laissions vivre. Tanguy peignait. Moi j'allais et venais.»

C'est un salon littéraire peu banal qui se constitue en quelques mois rue du Château, au fur et à mesure de rencontres

aux terrasses de La Rotonde ou du Select : Robert Desnos, Benjamin Péret, Louis Aragon, André Breton, Michel Leiris, André Masson. D'autres suivront : Georges Bataille, Georges Ribemont-Dessaignes, Raymond Queneau, Georges Sadoul, André Thirion.

Amitié interrompue puis renouée, celle de Prévert avec Breton (ci-dessous avec Simone et Pierre Prévert). «On riait ensemble comme des gens qui s'aiment.»

Une connivence immédiate rapproche le groupe de Prévert et celui de Breton. C'est Jacques qui transforme le jeu des «petits papiers» en divertissement poétique, les «cadavres exquis».

Le rire et l'amitié

A partir d'un humour dynamiteur proche de Dada, c'est bien le surréalisme naissant qui se cherche et se trouve dans ce château fort de l'anticonformisme. Tandis que Breton écrit *Nadja*, les fortes têtes – Tanguy, Prévert, Péret – multiplient les provocations dans la rue, les gifles aux soirées Cocteau ou les bagarres aux Ballets russes. Max Ernst enlève

Marie-Berthe, sœur de Jean Aurenche, Raymond Queneau enlève Janine, sœur de Simone Breton...

Artaud, Soupault furent exclus du groupe surréaliste «officiel»; Daumal, Vailland et Le Grand Jeu furent refusés; Prévert finit par rompre avec Breton : «Mort d'un Monsieur», écrit-il férocement dans le pamphlet «Un cadavre». Il faut dire que Breton aimait poser un personnage de pape infaillible. Prévert, qui clamait à qui voulait l'entendre : «M'inscrire au Parti? On me mettra dans une cellule...», ne pouvait pas supporter trop longtemps ce culte de l'autorité.

Début 1928, il quitte sur la pointe des pieds le mémorable phalanstère du quatorzième arrondissement, laissant à ses amis de l'époque des souvenirs éblouis. De son enfance, il a gardé un parti pris irréversible pour les pauvres, contre les exploiteurs. De son père, sans doute l'esprit de repartie et, de sa mère, un goût émerveillé pour les sentiments simples. De son adolescence, le sens de la liberté, de l'injustice, de la révolte. Rue du Château, c'est l'amitié au-dessus de tout, l'invention permanente, le rire libérateur, le monologue comme poésie pure. Jacques Prévert n'a pas encore pris la plume. A vingt-huit ans, il s'y met.

NOTRE COLLABORATEUR BENJAMIN PÉRET INJURIANT UN PRÊTRE.

«Le non-conformisme absolu, l'irrévérence totale et aussi la plus belle humeur régnaient dans nos réunions qui avaient pour cadre la vieille maison de la rue du Château», se souviendra André Breton. Des phrases issues de combinaisons aléatoires («Le cadavre exquis boira le vin nouveau») aux provocations dûment mises en scène (ci-dessus une photographie de Marcel Duhamel, parue dans *La Révolution surréaliste*), la bande s'amuse.

Maurice Touzé, dit le Gnome, fait pour ses amis Jacques Prévert, Jeannette et Yves Tanguy une lecture rue du Château. «Il adore déclamer. Nous n'entendrons reparler de lui que trente ans plus tard», écrira Marcel Duhamel, mécène et chroniqueur des lieux.

De 1932 à 1936, Jacques Prévert est l'auteur-animateur exclusif d'une troupe d'«intervention politique», le Groupe Octobre. C'est le temps où il publie ses premiers textes, où il prépare des scénarios (qui ne seront pas tournés), rédige des dialogues de films mineurs (qu'il ne signe guère). Avec son frère Pierre, il porte à l'écran une pochade mythique, *L'affaire est dans le sac*, et cosigne avec Renoir *Le Crime de M. Lange*.

CHAPITRE II
POUR LE THÉÂTRE

Tel le joueur de flûte de Hamelin, Prévert charme un nouveau public, suspendu à ses lèvres. Qu'il écrive des sketches pour le Groupe Octobre (ci-contre) ou les dialogues de *L'affaire est dans le sac* (à gauche), film-scandale avant de devenir film culte, dont son frère Pierre fut le réalisateur.

FÉDÉRATION DU THÉATRE OUVRIER DE FRANCE
13, FAUBOURG MONTMARTRE, PARIS

Le Vendredi 10 Mars prochain, à 20 h. 30
Salle du Grand-Orient, 16, rue Cadet

LE GROUPE
OCTOBRE

●

Pour mieux connaître le Théâtre Ouvrier
Pour l'encourager et le soutenir
Pour manifester votre opinion à son sujet
Pour l'aider à préparer l'Olympiade Internationale du Théâtre
Pour qu'il devienne une organisation culturelle de masses
Pour qu'il soit une arme puissante dans la lutte révolutionnaire
Pour grouper et faire entendre vos revendications de spectateurs

Vous assisterez à la Soirée organisée par

LE GROUPE
OCTOBRE

Le départ de la rue du Château coïncide avec de véritables débuts : dans l'écriture, dans le cinéma.

Scénarios et poèmes

Prévert écrit des scénarios – des poèmes plutôt, avec des gags dans l'esprit des dessins animés – que Marcel Duhamel, apprenti producteur dans le cinéma, va tenter de vendre à Berlin. Il collabore, avec son frère Pierre et le photographe Man Ray, à la réalisation d'un court métrage, *Souvenirs de Paris*, qui sort au studio des Ursulines.

Cette même année 1928, Prévert écrit sa première chanson : «Les animaux ont des ennuis», sur une musique de son amie Christiane Verger, et à la demande du danseur Pomiès.

A partir de 1929, ses premiers poèmes vont paraître dans diverses revues : «Merde. Quelle vie, c'est lamentable, fréquenter les estuaires, dépasser trois mètres de long» («Un peu de tenue ou l'histoire de Lamantin», *Transition*, 1929). «Ils sont douze autour d'une table, le treizième qui porte malheur est assis sur le paillasson» («Courrier de Paris», *La Revue du cinéma*, 1931)...

Prévert fait la connaissance de l'acteur Pierre Batcheff, auquel il donne un scénario (*Emile Emile*) et qui mettra fin à ses jours en mars 1932. Toujours avec son frère Pierre, il écrit *L'Honorable Léonard*, que celui-ci tournera en 1943 (*Adieu Léonard*).

A l'époque, le cinéma muet, à la fois populaire et raffiné, semblait véritablement l'«art total». Notre parleur impénitent avait trouvé son maître.

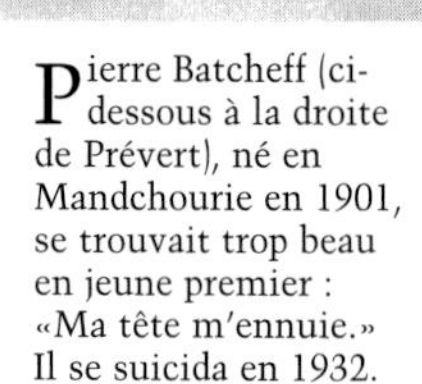

Pierre Batcheff (ci-dessous à la droite de Prévert), né en Mandchourie en 1901, se trouvait trop beau en jeune premier : «Ma tête m'ennuie.» Il se suicida en 1932.

La nouvelle bande : sonore

Avec l'arrivée du parlant, Jacques commence à proposer des synopsis de saynètes loufoques, poèmes en prose hauts en couleur, truffés d'inventions verbales et de plaisanteries insolites. *Le Fils de famille, Le Grand Compositeur, Baladar, Mesdames et Messieurs, Attention au fakir, Une petite rue tranquille, Emile Emile, Baleydier* – l'histoire d'un garçon coiffeur incarné par Michel Simon, long métrage tourné et sorti, mais qui semble aujourd'hui perdu : sept projets et une seule réalisation; et encore... son nom ne figurera même pas au générique. L'inspiration doit-elle précéder la commande?

Souvenirs de Paris, en 1928, est un travail d'équipe, le film d'une bande de copains : Marcel Duhamel, Alberto Cavalcanti, Jacques-André Boiffard, Man Ray et «les frères Prévert». On y voit Gazelle Duhamel, Jeannette Tanguy, Simone Prévert, Nadia Léger (page de gauche), Kiki de Montparnasse, et même André Prévert (le père, ci-dessus), dans le rôle d'un satyre du Luxembourg à la poursuite d'une petite fille. «Il dépasse en humanité et en poésie tous les films prétentieux et ridicules des littérateurs du cinéma français», écrit en septembre Robert Desnos dans *Le Soir*.

Jacques Prévert enregistre lui-même un commentaire faussement neutre pour *Tenerife*, tourné par Yves Allégret et Eli Lotar. Pathé demande des changements à Lotar, lequel fait dire le même texte par l'un des speakers emphatiques de l'époque : on le trouva bien amélioré. Jacques trouve des gags pour une agence publicitaire, avec des nouveaux amis : Paul Grimault, qui se consacrera au dessin animé, Jean Aurenche, qui deviendra scénariste.

Pierre Prévert projette, la nuit, des copies de films américains à la bande, qui s'augmente des rédacteurs de *La Revue du cinéma*. Il y a là Roger Blin, Jacques-Bernard Brunius, Jean-Paul Le Chanois et Louis Chavance, qui, en 1936, épousera Simone Prévert.

Yves Allégret est trotskyste; avec Eli Lotar comme opérateur, il réalise des documentaires : *Prix et profits* ou *La Pomme de terre* en 1931. L'année suivante, en Espagne, on les expulse des montagnes isolées des Hurdes (ils signaleront le sujet à Luis Buñuel), mais ils pourront tourner *Tenerife* aux Canaries (ci-dessous).

Ce «gars marrant qui a l'air très bien»

Le futur cinéaste Jean-Paul Le Chanois était voisin de Prévert dans un petit hôtel de la rue Dauphine – aussi bien qu'à une table des Deux Magots. Il témoignera : «Selon que nous étions plus ou moins lancés, le sketch durait une heure ou deux. Une heure de discours insensés, de coq-à-l'âne, de dialogues étincelants où se déchaînait le génie poétique de Jacques Prévert.» Il y avait aussi le maquettiste Louis Bonin, dit Lou Tchimoukov parce que ça faisait plus soviétique, plus chic, et le photographe Eli Lotar. Quatre années durant, notre homme «plutôt de main que de plume» devient un homme des planches, à part entière et d'étonnante façon.

Deux intellectuels communistes, Paul Vaillant-Couturier et Léon Moussinac, vont permettre que cette inventivité verbale passe désormais la rampe du privé au public, en suggérant à quelques militants de la Fédération du Théâtre ouvrier de France, de demander des textes à ce «gars marrant qui a l'air très bien». C'est ainsi que Raymond Bussières, Lazare Fuchsmann, Arlette Besset vont rencontrer, le 12 avril 1932, Jacques Prévert, très affecté par la mort de son ami Batcheff. «L'accord fut immédiat», devait

A la Fédération du Théâtre ouvrier, le groupe Prémices donnait depuis 1929 des chœurs parlés. Il se scinde en 1932 : d'un côté les formalistes, de l'autre les partisans d'un théâtre de choc plus social. En leur nom, Lazare Fuchsmann demande des textes à Prévert (extrait ci-dessus).

«C'est le moment ou jamais de faire son théâtre soi-même» : Prévert vient d'annoncer la couleur. Il va aimer le travail de ces amateurs : «Ce qu'il y avait d'intéressant, c'était l'anonymat le plus complet,[...] aucune subvention, ce qui donnait une très grande liberté.» «Il était cocasse, désopilant, disait Fuchsmann à propos de Prévert, inattendu, un peu à la Marx Brothers, un peu à la Buster Keaton.» Ce qu'il écrit est exactement ce qu'attend la troupe. Il les charme, il les fait mourir de rire sur les thèmes les plus simples, les plus immédiats, avec «une invention et une drôlerie incessantes, avec un visage toujours impassible, et son fluide toujours si amical» (Ida Lods-Jamet).

Le Groupe Octobre n'a pas seulement trouvé son auteur, mais aussi son régisseur : Lou Tchimoukov (ci-contre, avec les deux frères), «ingénieux et même génial animateur-metteur en scène de tous les spectacles», au dire de Pierre Prévert.

se souvenir Fuchsmann. Quelques jours plus tard... A leur tour, Prévert, Le Chanois et Tchimoukov se rendent à une répétition, à la Maison des Syndicats. Ils font de nouvelles recrues : Suzanne Montel, qui sera secrétaire du groupe, Margot Capelier, Gisèle Fruthman (qui épousera bientôt Pierre Prévert), Ida Lods. Gazelle Duhamel fera les costumes, Lou se révélera dans la mise en scène.

Agit-Prop au Groupe Octobre

En mai, création de *Vive la presse* («Attention, camarades, attention / Mourir pour la patrie, c'est mourir pour Renault») et d'un chœur parlé sur la Commune. En octobre, le groupe prend le nom de... Groupe Octobre; Prévert écrit *La Bataille de Fontenoy*, pièce qui sera jouée en janvier suivant. Les paroles de ce chœur révèlent le Prévert de l'époque : l'engagement politique – «Partout l'homme qui ne fout rien vit sur le travailleur / comme un morpion doré» – et l'humour – «Soldats de Fontenoy, vous n'êtes pas tombés dans l'oreille d'un sourd».

Lorsque Hitler est nommé chancelier, en

C'est la lanterne du Bordel capitaliste

Avec le nom du tôlier qui brille dans la nuit ~~Citroën~~xxx~~Citr~~

Citroën....Citroën....

janvier 1933, Prévert écrit un chœur parlé, *Actualités*, répété la nuit et joué le lendemain; c'est lui qui tient le rôle, la mèche sur le front : «C'est moins dangereux qu'un général / Un ancien peintre en bâtiment / Et maintenant / Les quartiers ouvriers sont peints couleur de sang.» En avril, *Citroën*, écrit et répété un samedi après-midi, sera joué le soir même devant des grévistes, Tchimoukov ayant trouvé une astuce de mise en scène pour que les interprètes puissent venir jeter des coups d'œil sur le texte, posé sur une table.

«L'affaire est dans le sac»

Le théâtre «engagé» n'a pas fait abandonner à Prévert la composition de scénarios originaux, l'adaptation de pièces, de films, voire d'opérettes...

LA BATAILLE

A cette époque (1933), Citroën faisait de la publicité sur la tour Eiffel – une grande banderole dépliée –, tandis que devant ses usines, les ouvriers en grêve manifestaient et que le Groupe Octobre jouait pour eux : «La môme Fuchsmann entrait en scène, se souvient Raymond Bussières, elle était joliette et blonde [...] et disait avec un petit air ingénu : "Sur Paris endormi / une grande lumière monte sur la Tour / c'est la lanterne du bordel capitaliste / avec le nom du taulier qui brille dans la nuit / Citroën... Citroën..."» De temps en temps, le Parti communiste tentait de les rappeler à l'ordre.

E FONTENOY

Tourné en sept nuits durant l'été 1932, en réutilisant des décors d'autres films, grâce à la complicité du directeur des studios Pathé-Natan, Charles David (un ami de la bande), *L'affaire est dans le sac* est, disait Pierre Prévert, son metteur en scène, «un film de copains». Ce burlesque, plus proche de Mack Sennett et des Marx Brothers que de la comédie de boulevard à la française, déplut au public lors de sa sortie, et davantage encore à M. Natan, qui voyait l'animal emblématique de sa firme salué d'étrange façon : «Imbécile, cela fait dix ans que tu fais le coq... Tu n'es pas capable de faire autre chose?»

“Un jour j'ai été à la Maison des Syndicats, voir une pièce qui s'appelait *La Bataille de Fontenoy*. Une phrase m'a fait éclater de rire, c'était «Soldats de Fontenoy, vous n'êtes pas tombés dans l'oreille d'un sourd»...”
Marcel Carné

La scène de Brunius dans *L'affaire est dans le sac*, pastichant, face à Carette en chapelier expéditif, une ganache Croix-de-Feu, est désormais célèbre : «Rien ne vaut un béret. Parce que moi, je trouve, les casquettes, c'est bon pour les ouvriers... Le chapeau, ça n'est pas pratique... tandis que le béret, c'est chic, c'est crâne, c'est coquet.»

CLOVIS - Dernière mode de Londres.. béret avec visière sur le devant... ça se porte beaucoup cette année ...

LE CLIENT, à qui on ne la fait pas - Je désirerais un béret...un simple béret...un béret français...

«Ciboulette»

Sous la plume de Jacques Prévert, l'opérette, cette «fille de l'opéra-comique qui aurait mal tourné» (Saint-Saëns), ne pouvait que tourner au pire. En fait, *Ciboulette*, du fin baryton-martin et compositeur Reynaldo Hahn, était déjà un pastiche pseudo-naturaliste. Prévert tenta de le pousser jusqu'à la féerie musicale, à la caricature tendre. Ce fut un scandale! Il faut dire que les militaires faisant campagne avec des têtes d'animaux (Jacques était l'âne) pouvaient surprendre, ainsi que des répliques comme «Bon Dieu de Bon Dieu de Bon Dieu», résumé du rôle de Dranem, ou «Les riches devant, les pauvres derrière, les gens du monde à gauche, les gens du demi-monde à droite»!

Aller-retour à Moscou

En mai 1933, quatorze membres du Groupe Octobre sont invités à une Olympiade du théâtre à Moscou. *La Bataille de Fontenoy*

Simone Berriau était Ciboulette (ci-dessus), Jacques Prévert faisait l'âne. Le jeune metteur en scène Claude Autant-Lara inaugurait une longue série de contestations professionnelles; on remarqua son travelling-promenade sur les toits de Paris, puis à travers des Halles réinventées par le décorateur Lazare Meerson (assisté d'Alexandre Trauner). Ci-contre, les calicots signalant, à Moscou, la grande rencontre internationale du théâtre en 1933.

fera de l'effet, mais Staline quitte la tribune. On ne manque pas de noter, là-bas, que «le collectif n'a pas de directeur politique». De leur côté, Prévert, Allégret et Duhamel refusent de signer un éloge de Staline. Au retour, Prévert écrit de nombreux sketches, dont «La Famille Tuyau de Poêle» («Vous avez préféré un faux zouave à votre véritable fille, vous n'êtes plus mon père, sortez, je vous chasse!»), «La Vie de famille», «Il ne faut pas rire avec ces gens-là», «14 juillet» («Nous dansons devant le buffet / On ne sait plus sur quel pied danser / Nous danserons sur le pied de guerre / A qui le tour d'être le poilu inconnu?»).

Arlette Besset pose sur le bateau qui l'emmène *via* Leningrad vers la grande rencontre internationale du théâtre révolutionnaire. «Jacques parlait sans arrêt, sans lien logique apparent; son discours se déroulait par associations d'images, de mots, d'émotions [...] une richesse de vocabulaire incroyable. Je crois qu'il s'est mis à écrire davantage parce qu'il écrivait pour nous.»

Le Groupe Octobre, rejoint par d'autres volontaires comme Fabien Loris, acteur et chanteur, Maurice Baquet, violoncelliste sportif, collabore avec Yves Deniaud, Sylvain Itkine ou les frères Marc (dont l'un deviendra le chanteur Francis Lemarque). Outre les saynètes pour des salles de café ou des goguettes en plein air, il donne des soirées théâtrales complétées par des danses de Pomiès, des parodies, le court métrage de Yves Allégret, *Prix et profits*, une exposition...

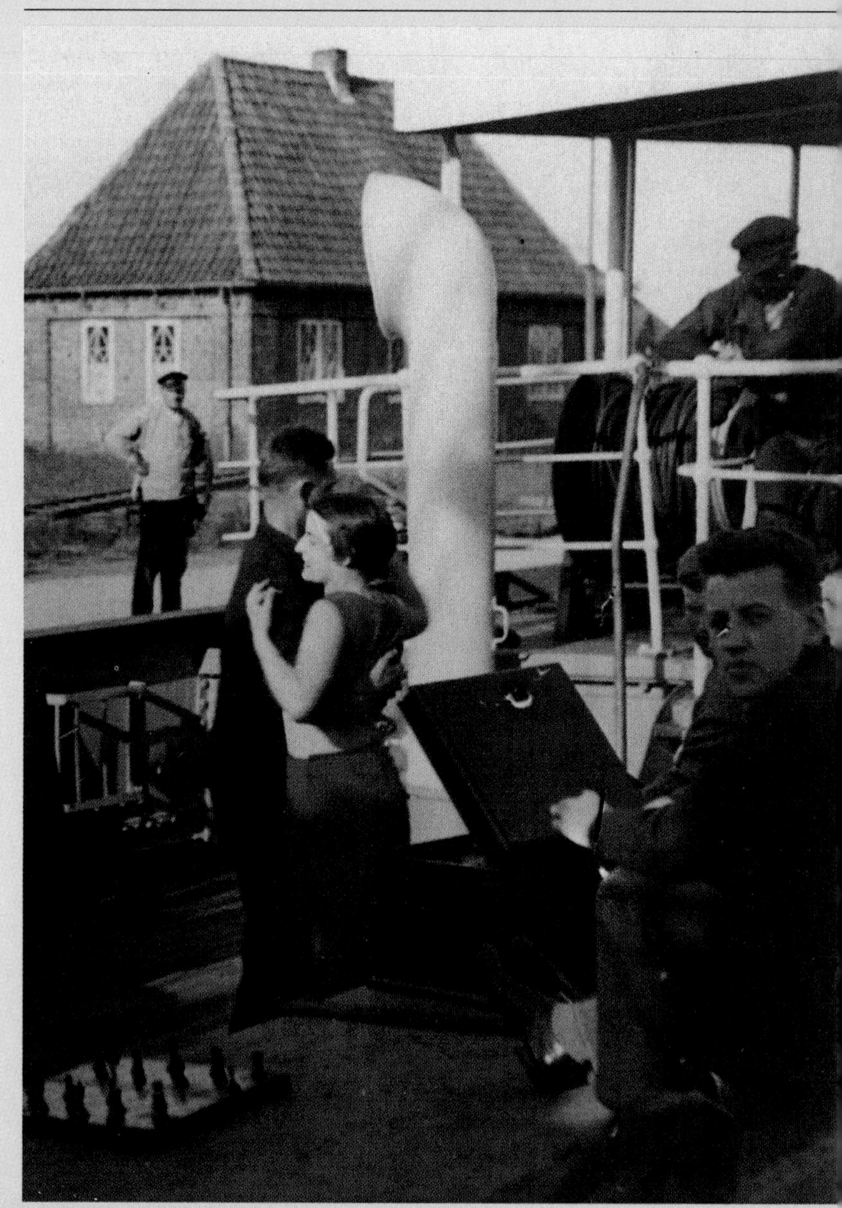

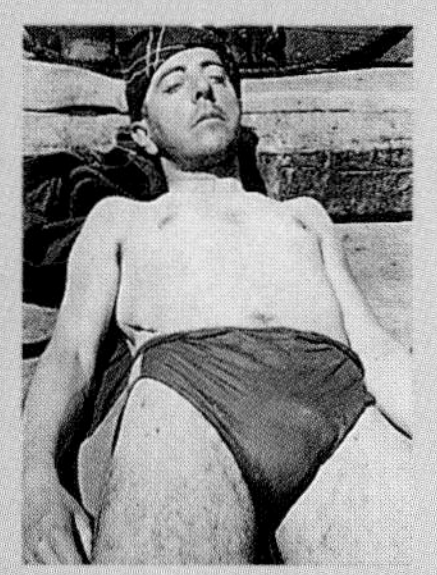

On danse avec les marins, sur le bateau qui emmène la troupe vers Moscou. Au passage, Prévert, Arlette Besset, Yves Allégret, descendus à terre, vont caresser le chameau du zoo de Hambourg. Mais le but du voyage, pour le Groupe Octobre, c'est le théâtre; il faut répéter d'arrache-pied (ci-contre, Raymond Bussières à gauche et Marcel Duhamel au centre) : *Citroën*, *Les Nègres de Scottsborough* de Lou Tchimoukov et surtout, pièce de résistance, *La Bataille de Fontenoy*, adaptée pour une interprétation réduite et qui sera jouée fin mai à Moscou. «Beaucoup de caricatures de cette revue sont évoquées de main de maître», salue *La Pravda*.

“Jacques (ci-dessus) était le seul acteur indiscipliné de la troupe. A chaque représentation, il changeait le texte. Comme il voyait que le public croulait de rire, il continuait.”
Jean-Paul Le Chanois

A l'été 1933, Jacques part dans les Carpathes, avec le musicien Hanns Eisler, afin d'écrire, à la demande d'une société de production suisse, les cinquante pages du scénario d'un film franco-tchèque, qu'aurait dû réaliser un metteur en scène autrichien mais qui n'aboutira pas : *Dolina*. En Tchécoslovaquie, Prévert écrit «La Pêche à la baleine» et «Embrasse-moi», tandis que Hanns Eisler compose la musique de «La Vie de famille».

La petite bande du Groupe Octobre figure dans *L'Atalante* de Jean Vigo. Elle interprète des films publicitaires où, côte à côte, Jean Aurenche et Jean Anouilh, Paul Grimault et Jacques Prévert inventent des gags. Prévert (à gauche), Bonin et Boiffard tournent *La Pêche à la baleine*, court métrage d'après le poème mis en musique par Kosma.

«J'étais rebouteux, rempailleur de films : il fallait refaire le scénario parce qu'on tournait dans quinze jours»

A Paris, il écrit un sketch pour Fernandel («Comme une carpe») qu'il retrouve en 1934 avec *L'Hôtel du libre-échange*, d'après Feydeau, dans une réalisation de Marc Allégret, où il introduit quelques «dialogues additionnels» d'esprit bien personnel, ainsi que sa première chanson pour un film : «La Chanson de l'éléphant», musique de Germaine Tailleferre.

Très personnelles aussi ses adaptations de deux pièces allemandes, *Si j'étais le patron* (1934, avec Max Dearly et Fernand Gravey) et *Un oiseau rare* (1935, avec Max Dearly et Pierre Brasseur), où le «parolier» du Groupe Octobre glisse de la comédie de situations à la critique sociale. Par l'absurde. Un critique aussi difficile que le futur cinéaste Roger Leenhardt ne s'y trompe pas quand il écrit, dans *Esprit* en novembre 1935 : «Même si son nom n'y est pas en gros caractères comme celui du metteur en scène, Jacques Prévert reste l'auteur du film comme Joffre le vainqueur de la Marne...»

Jacques sera encore au générique de *Moutonnet* avec Noël-Noël, de *Jeunesse d'abord* avec Pierre Brasseur. Il n'est pas à celui de *Mon associé M. Davis*, que Claude Autant-Lara tourna à Londres non sans difficultés : il ne reste rien de son adaptation d'un roman chilien corrosif.

Au dos d'une photo de tournage d'*Un oiseau rare* (ci-dessus), Pierre Prévert avait identifié (de gauche à droite) : Bachelet fils, Jean Bachelet, père (opérateur), Richard Pottier (réalisateur) et Pierre Prévert (assistant).

«Mais voilà Prosper qui se lève, / Regardant son père dans le blanc des yeux, / [...] Bleus comme ceux de la baleine aux yeux bleus : / Et pourquoi donc je dépècerais une pauvre bête qui m'a rien fait? / Tant pis j'abandonne ma part, / Puis il jette le couteau par terre, / Mais la baleine s'en empare, et se précipitant sur le père / Elle le transperce de part en part.»
«La Pêche à la baleine»

“ Tu étais debout / droite comme un kouros / tu dansais sans bouger / et la musique de ton regard si jeune était toute bleue / si fraîche si gaie.”
Jacques Prévert, poème pour Janine (ci-contre)

Place de la Concorde, le 6 février 1934 : Croix-de-Feu, Camelots du Roi, Chemises vertes, Jeunesses patriotes et Anciens Combattants, les ligues nationalistes manifestent contre le gouvernement, compromis dans l'affaire Stavisky.

Pour *Partie de campagne*, de Jean Renoir, le producteur Pierre Braunberger lui demanda des scènes complémentaires qui ne furent jamais tournées.

«L'armée et ses chefs ont été bafoués», titre la presse

Le 6 février 1934, un putsch est fomenté par les militants du colonel de La Rocque pour investir le Palais-Bourbon : il y aura une vingtaine de morts; quatre le lendemain. Daladier est remplacé à la présidence du Conseil par Doumergue. Le 9, c'est la gauche qui manifeste : quatre morts. Le 12, des manifestations de masse lui imposeront de faire l'unité. Il en sortira le Front populaire. Le compositeur Louis Bessières signe l'hymne du Groupe Octobre, «Marche ou crève».

Dans un registre plus personnel : Jacques fait la connaissance de l'une des danseuses de Georges

Pomiès, Janine Tricotet, que lui présente Maurice Baquet.

1935 est une année d'intense activité pour le Groupe Octobre, qui interprète «Les Fantômes», «La Famille Tuyau de Poêle» (un futur classique!) «La Vie de famille», «Il ne faut pas rire avec ces gens-là», «Le Palais des mirages», et tant d'autres sketches et impromptus, dus, pour la plupart, à Jacques Prévert.

«Suivez le druide», vision démystifiante de la Bretagne, est jouée à Saint-Cyr-l'Ecole en juin 1935, précédée d'un défilé en costumes où Roger Blin, en mignon, faisait ses débuts. L'auteur, en abbé breton l'après-midi, était le soir la duchesse Anne. «La plus belle représentation du Groupe» assurait-il. Le mois suivant, cette kermesse libertaire fut reprise à Villejuif.

Jacques Prévert (ci-dessous) incarne un abbé breton dans *Suivez le druide*. Derrière lui, la créatrice des costumes, Germaine Duhamel.

Un film du Groupe Octobre et du Front populaire : «Le Crime de M. Lange» (1935)

Au départ, une idée de Jean Castanier et Renoir : un correcteur meurtrier d'un patron de presse sera innocenté par la justice. Avec une fête syndicale, une coopérative ouvrière, un fils de famille, une cour d'assises... Jacques Becker voulait réaliser ce film, mais le producteur, André Hallay des Fontaines, préféra le confier au cinéaste de *Boudu sauvé des eaux*, Jean Renoir, et à l'auteur des textes du Groupe Octobre.

Prévert reprend l'histoire et en fait une œuvre de révolte telle que le cinéma en permet rarement, anarchiste, anticléricale et réjouissante. Avec Baquet, Duhamel, Brunius, Loris, Decomble, Deniaud, Dasté et autres équipiers du Groupe. Jules Berry en patron cynique et charmeur est étonnant. «Un film touché par la grâce», dira Truffaut. Et Renoir : «L'apport de Jacques Prévert a été primordial.» De fait, dans un art qui est d'abord une industrie, cet oiseau rare est à marquer d'une pierre blanche.

La musique du *Crime de M. Lange* – et donc de la chanson «C'est la nuit de Noël» – est de Jean Wiener, mais celle de «A la belle étoile» – que l'on entend à la radio, dans le film –, chantée par Florelle, est de Joseph Kosma, compositeur d'origine hongroise dont Prévert vient de faire la connaissance.

Le film devait s'intituler *Sur la cour* et faire la part belle à l'unanimisme prolétarien. Et s'en prendre aux patrons d'une certaine presse (*Gringoire*). Mais le charisme de Jules Berry allait, dans *Le Crime de M. Lange*, humaniser la caricature. Entre Renoir, l'ami de tout le monde, et Prévert, l'ennemi de quelques-uns, le courant ne passa guère; demeure une œuvre-miracle, aussi fragile que l'«unité» réclamée par les manifestants de base du Front populaire, aussi mémorable.

«Internationale» contre «Marseillaise»

A la fin de 1935, Jacques adapte en deux actes *Le Tableau des merveilles*, un intermède de Cervantès, que monte Jean-Louis Barrault dans son Grenier des Augustins. Avec Jean Dasté, le petit Mouloudji et de nombreux membres du Groupe. Tchimoukov propose un autre dispositif scénique, pour des représentations à la Mutualité, aux Magasins du Louvre, à la Samaritaine, au Studio Frankœur... avec des places gratuites pour les chômeurs. «Période extraordinaire que les "honnêtes gens" ne devaient par pardonner» (Jean-Louis Barrault).

LES SPECTACLES

Le spectacle des variétés du groupe « Octobre »

«A une époque où le monde va comme il peut, le théâtre doit aller comme il doit... En France, on prépare enfin la révolution au théâtre. Et voilà une formule qui peut se renverser d'elle-même comme un sablier», écrit Roger Vitrac dans *La Flèche*. Dans *L'Humanité*, Georges Altman est moins optimiste : «Minutes étonnantes. On ne les reverra pas de sitôt.»

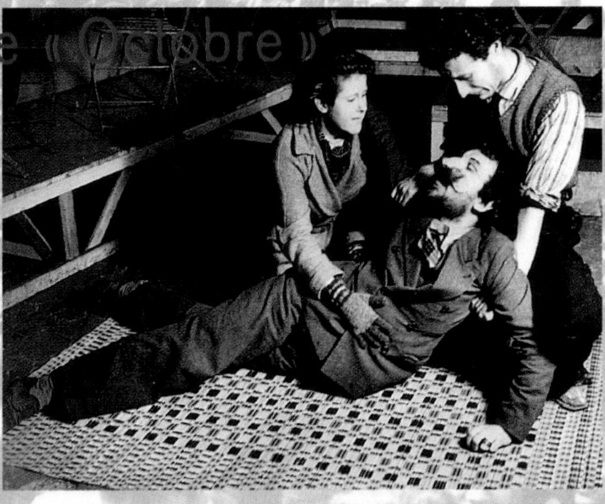

En première partie, des «Actualités» de Jacques Prévert, dites par lui. Un sketch musico-sportif de Maurice Baquet et Gilles Margaritis. Des chansons interprétées par Agnès Capri, Baquet, Morise, Tchimoukov. Le numéro des frères Mouloudji. Enfin venait *Le Tableau des merveilles* (ci-dessus); un mur pivotant découvrait au public les acteurs-spectateurs. «Marche ou crève» de Louis Bessières agace les bourgeois et réjouit le cœur des pauvres. «Et ce fut la fin du Groupe Octobre, dit Maurice Baquet : les miracles n'arrivent qu'une fois...»

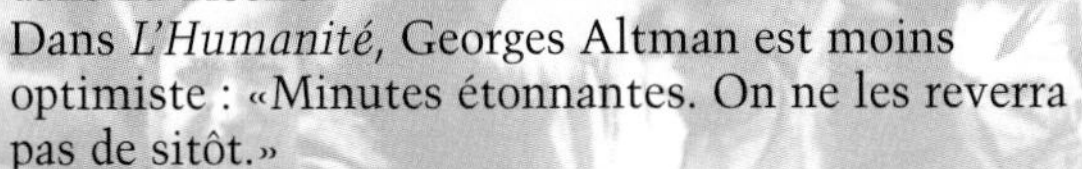

De fait, les mots d'ordre du Front populaire auraient fait mettre trop d'eau dans le vin rouge du Groupe Octobre. «Il devenait de bon ton de remplacer «L'Internationale» par «La Marseillaise». Cela ne me plaisait pas, parce que «La Marseillaise» je la connaissais depuis que j'étais tout petit, je l'avais vue à toutes les sauces. Et j'aimais bien «L'Internationale». Alors cela s'est arrêté là.»

Dans les années 1930 et 1940, Jacques Prévert écrit une vingtaine de films considérés aujourd'hui comme des grands classiques, de *Quai des brumes* aux *Visiteurs du soir,* en passant par un immortel chef-d'œuvre, *Les Enfants du paradis,* réalisés par Marcel Carné, Jean Renoir, Jean Grémillon, Pierre Prévert, Christian-Jaque... Vingt autres demeurent à l'état de projets, avancés jusqu'au stade d'un scénario achevé, ou parfois tournés, mais assez loin de la partition écrite!

CHAPITRE III

POUR LE CINÉMA

Carné, Gabin, Prévert, Kosma : quelle légende écrire pour cette photo de légende? Toujours autour de Jacques, l'équipe va créer des situations dramatiques, des dialogues vrais comme la vie, des musiques romantiques et... «le meilleur film français du premier siècle de cinéma».

la crosse en l'air

1936 a sonné la victoire du Front populaire. Le Groupe Octobre baisse le rideau, quand il faut moins d'agitation que de collaboration (avec les socialistes) et de main tendue (avec les catholiques). En Espagne, Franco prend le pouvoir contre les forces républicaines du *Frente popular*. Dans la revue *Soutes*, Prévert publie «La Crosse en l'air». Puis il passe l'été à Ibiza avec l'actrice Jacqueline Laurent; il y écrit les cinq poèmes qui constituent *Lumières d'homme*, en confie le manuscrit à l'imprimeur-éditeur Guy Lévis-Mano, qui l'égare. Ce sont des textes angoissés, tragiques même, au travers desquels, plus encore qu'au retour de Moscou, se fait sentir un certain retrait politique : «Toujours très près des camarades / mais si loin tout de même si loin», et encore «Tu as autre chose à faire / autre chose / tu ne sais peut-être pas exactement ce que tu as à faire / mais tu le fais / ça t'occupe.» André, le père Prévert, meurt le 31 décembre 1936, à soixante-six ans.

«Crosse en l'air et rompons les rangs», c'est dans «L'Internationale». Anticléricalisme, solidarité avec les travailleurs, refus de la guerre, éléments fantastiques et actualité politique se mêlent avec un humour féroce dans ce texte provocateur.

Rassurez-vous braves gens
ce n'est pas un appel à la révolte
c'est un évêque qui est saoul et qui met sa crosse en l'air
comme ça... en titubant
il est saoul
il a sur la tête cette coiffure qu'on appelle mitre et tous
[vêtements sont brodés richement]

Prévert ne reviendra jamais sur ses partis pris contre la religion, l'armée, la bourgeoisie. Sans donner pour autant dans le militantisme : «Embauché malgré moi dans l'usine à idées / j'ai refusé de pointer» (l'«usine», c'est la production littéraire ou cinématographique). «Mobilisé de même dans l'armée des idées : j'ai déserté» (l'«armée», ici, c'est le parti des travailleurs, où il ne s'enrôlera pas).

Le coup d'essai du tandem Prévert-Carné

En 1936, et pour une décennie, Prévert va faire du cinéma son activité principale.

Jenny (1936). Le metteur en scène Jacques Feyder devait tourner *Prison de velours*, d'après un roman plutôt conventionnel de Pierre Rocher où une mère abandonne son amant à sa fille. Mais Feyder part à Londres diriger Marlène Dietrich : chance pour son assistant, Marcel Carné, qui propose immédiatement d'en faire revoir le script par l'auteur de *La Bataille de Fontenoy*.

Jacques Prévert va esquiver les scènes convenues, croquer des personnages secondaires pittoresques et transformer le mélo en film noir. Déjà la banlieue (Carné, militant d'une première Nouvelle Vague, voulait descendre dans la rue). Déjà les répliques prévertiennes : «Quand la morale fout le camp, le fric cavale derrière» ou encore «J'aime mon chien. – Tu as un chien, toi? – Non, j'aime ce que j'ai pas.»

Jenny, coup d'essai d'un tandem qui va s'imposer, annonce le réalisme poétique du cinéma français, à la fin des années 1930. En mineur, le film préfigure la fantaisie de *Drôle de drame*, la noirceur de *Quai des brumes* et le baroque des *Enfants du paradis*. Marcel Carné avait été critique de cinéma et auteur d'un court métrage populiste dans l'air du temps, *Nogent, eldorado du dimanche*, avant de devenir, grâce à Françoise Rosay (ci-dessous), l'assistant de son époux, le cinéaste Jacques Feyder, qui reste, dira Carné, «la grande ombre qui plane sur le *Quai des brumes*, *Le jour se lève* et *Les Enfants du paradis*».

J'ai dit "bizarre"... la tête)... comme c'e

Michel Simon et Louis Jouvet étaient, à la ville comme à la scène, plutôt à couteaux tirés, ce qui ajoute encore du piment au fameux dialogue du canard à l'orange : «Vous regardez votre couteau et vous dites : "Bizarre...".» Pourquoi le public de 1937 siffla-t-il *Drôle de drame* au lieu de «bien se marrer» comme le fit Gabin? Drôle d'époque!

Un zeste de Feydeau, une pincée de Jarry...

Drôle de drame (1937). En 1937, c'est pour Marcel Carné encore que Jacques Prévert adapte un roman policier de Storer Clouston et le fait glisser de l'humour anglais à celui plus pimenté du Groupe Octobre. Des situations d'apparence normale dérivent jusqu'à l'absurde. Michel Simon, Louis Jouvet, Jean-Louis Barrault, Françoise Rosay (dont le genre loufoque n'est pas la tasse de thé : elle n'en sera que plus drôle) avec, dans les petits rôles, quelques anciens de l'Agit-Prop, interprètent de brillantissime façon cette bluette incendiaire... assez mal reçue par les spectateurs de l'époque. Sauf un, Jean Gabin, qui allait imposer le tandem Prévert-Carné pour une mémorable série : «Ça m'a tout de suite paru un film étonnant qui

l hoche
oizare

sortait des sentiers battus, et je me marrais bien. Je trouvais le scénario bien foutu, plein d'imprévus, et je me disais que le type qui avait fait la mise en scène connaissait drôlement bien son métier.»

Dans *L'Affaire du courrier de Lyon* (1937), adaptation de Jean Aurenche, on entendit des dialogues de Prévert, lequel partit peu après... à Hollywood, rejoindre Jacqueline Laurent qui faisait là-bas un bout d'essai. Il y écrivit *La Rue des vertus* que Carné aurait dû tourner fin 1938, dans des maquettes d'Alexandre Trauner. Puis il revint par les Baléares, où il travailla à plusieurs projets, dont *Train d'enfer* prévu pour Grémillon, avec Gabin et Arletty.

«Une orange sur la table / Ta robe sur le tapis / Et toi dans mon lit / Doux présent du présent / Fraîcheur de la nuit / Chaleur de ma vie.» Jacqueline Laurent, inspiratrice de ce poème en 1936, photographiée avec Jacques (ci-dessus) par Wols, ami de Prévert depuis 1933.

«Celui qui rouge de cœur»

L'Ile des enfants perdus, film inspiré par la révolte, en 1934, du pénitencier pour enfants de Belle-Ile-en-Mer, qu'il voudrait tourner avec Marcel Carné, est dès le départ compromis. D'autres scandales dans des «maisons de redressement» inciteront la censure, fût-ce celle du Front populaire, à ne pas lever son veto. Le cinéma n'est pas le Groupe Octobre : il faut accepter certains sujets, s'en voir refuser d'autres. Sur celui-là même, Prévert et Kosma s'obstinent et signent «L'Enfance» et «Chasse à l'enfant».

Cependant, jamais Prévert ne changera d'un iota dans ses convictions, pas plus que dans leur expression. S'il n'est pas homme à «mettre son drapeau dans sa poche», lui que le *Dictionnaire du surréalisme* nommera «celui qui rouge de cœur» ne s'engagera pas non plus comme militant d'un parti. Même pendant l'Occupation.

D'une dénonciation tenace des bagnes d'enfants ne restent que deux chansons (et une collaboration anonyme à *L'Enfer des anges* de Christian-Jaque).

Vers 1937, sans doute est-il politiquement plus proche d'un Marceau Pivert (bientôt exclu de la SFIO pour trotskisme latent) et de sa gauche révolutionnaire que d'Aragon et des communistes. Si *Lumières d'homme* a révélé la trace d'un certain désengagement, il continue d'écrire : «Mais un jour le vrai soleil viendra»... (dans «Le Paysage changeur», qui doit son titre à une coquille typographique, Prévert ayant écrit «Le Paysage changea»).

Si «Le Temps des noyaux», contemporain, semble plus combatif («Vous descendez à la prochaine / ou nous vous descendrons avant»), «Evénements» ne brille pas par son optimisme («Restez ensemble, hommes pauvres / Restez unis...»), tandis que «Le concert n'a pas été réussi» prend presque congé («Compagnons des mauvais jours / Je vous souhaite une bonne nuit / Et je m'en vais»).

Les bons crus de 1938

Quai des brumes (1938). Gabin suggère à Prévert d'adapter un roman de Pierre Mac Orlan qui se passe à Montmartre. L'auteur, ravi, trouvera d'ailleurs que les modifications apportées ont renforcé les intentions de son texte. Le film devait être produit par la UFA nazie, qui préfère vendre l'affaire à un Juif français : Rabinovitch. Marcel Carné le perfectionniste dirige avec autorité; le grand opérateur Schüfftan transpose de Hambourg au Havre les ombres mouillées du réalisme intimiste allemand; Alexandre Trauner, élève de Meerson, inventeur de poétiques décors, devient un intime complice de Jacques; Maurice Jaubert, premier musicien du cinéma français, disparaîtra malheureusement au début de la guerre; Jean Gabin, Pierre Brasseur, Michel Simon, Le Vigan... Le rôle écrit pour Jacqueline Laurent sera tenu par Michèle Morgan.

Les Disparus de Saint-Agil (1938). Toujours Michel Simon et Robert Le Vigan, avec une

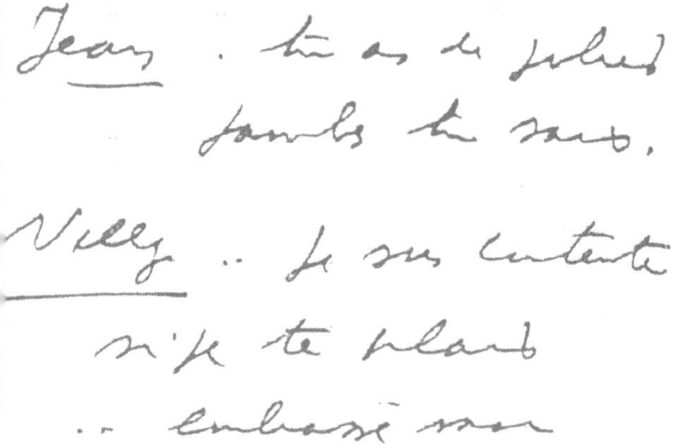

Jean . tu as de jolies
jambes tu sais.

Nelly .. Je suis contente
si je te plais
.. embrasse moi

Les retours aux sources manuscrites réservent des surprises! La réplique originale n'était donc pas : «T'as d'beaux yeux, tu sais», mais «Tu as de jolies jambes»... Sur le plateau de *Quai des brumes* (ci-dessous), de gauche à droite : le décorateur Trauner, le scénariste Jacques Prévert, le metteur en scène Marcel Carné, son assistant Walter, Eugen Schüfftan, directeur de la photographie, Simon Schiffrin, directeur de production; assis, Jean Gabin et Michèle Morgan.

«grande pointure» de plus : Erich von Stroheim, dans un rôle inhabituel par sa gentillesse. Le réalisateur est Christian-Jaque. De l'insolite roman de Pierre Véry, sur les complots de la société secrète des «Chiche-Capon» dans un collège de province, le film garde l'humour nostalgique et l'esprit d'émerveillement.

Vers 1939 (ci-dessous), de gauche à droite : Nico Papatakis, André Virel, Jacques Prévert, Claudie Carter et Joseph Kosma.

Tiré d'un roman de Roger Vercel, *Remorques* doit être mis en scène par Jean Grémillon. Adaptation par Charles Spaak en 1938; le producteur la fait refaire par Cayatte. Jean Gabin, qui reforme avec Michèle Morgan le couple de *Quai des brumes*, impose Prévert. La guerre interrompt le tournage à Brest. Le producteur reparle d'un nouveau scénariste... mais la débâcle arrête tout. Grémillon démobilisé pourra achever le film fin 1941.

Entre Christian-Jaque et Grémillon

Pour Christian-Jaque, Prévert adapte *Ernest le rebelle* de Jacques Perret : le film se fait. Il ne signe pas, mais collabore avec Christian-Jaque et Pierre Laroche à *L'Enfer des anges*, sur la jeunesse délinquante (un succès).

Le jour se lève (1939). Au départ, une histoire due à Jacques Viot, jeune auteur de nouvelles policières, proche des surréalistes, que Prévert conserve, transformant le tout en un huis clos tragique.

Un étonnant immeuble faubourien de Trauner. La foule des copains. Jean Gabin, Arletty, Jules Berry, Jacqueline Laurent. A l'arrivée, l'œuvre préférée des critiques parmi le corpus Prévert-Carné.

Remorques (1939). Spaak, Cayatte et d'autres encore ont tenté d'adapter le roman de Roger Vercel. Avec l'appui de Gabin et de Grémillon, Prévert reprend l'ensemble, mais le tournage est interrompu d'abord par la déclaration de guerre, puis par la débâcle. Le film ne sera terminé que fin 1941.

La mer. Le destin. Jean Gabin (le capitaine Laurent) sauve Michèle Morgan (Catherine, la fille apportée par l'orage) et pénètre avec elle dans l'univers de l'amour, monde de rêve, de bonheur et de cruauté mêlés.

Gabin avec Jacqueline Laurent dans *Le jour se lève* (1939, ci-dessus). Sous des noms d'emprunt, Trauner fit les décors et Kosma la musique pour *Le soleil a toujours raison*. Prévert assurait qu'il préférait collaborer avec Tino Rossi (ci-dessous) qu'avec la Gestapo. C'était en 1941.

«Ah, Barbara, quelle connerie la guerre!»

Jacques, quant à lui, a contourné la guerre : malade, on le réforme. Il quitte Paris avec quelques amis, les Kosma, Simone (devenue la femme de Louis Chavance), Brassaï, et se retrouve à Tourette-sur-Loup. Là, il adapte *Manon Lescaut* avec Pierre Laroche, pour Viviane Romance (qui préférera faire modifier le scénario devenu *Une femme dans la nuit*, réalisé par Edmond T. Gréville). Puis il collabore avec Pierre Billon sur *Le soleil a toujours raison* qu'interprète... Tino Rossi. Parmi les amis au générique, apparition d'une figurante : Claudie Carter, dont le chemin croise un moment celui de Jacques.

D'autres films ne virent pas le jour : *Monsieur Casa*, inspiré par André Prévert, le père, et qu'aurait interprété Raimu; *Sylvie et les fantômes*, adaptation, pour Grémillon encore, d'une pièce d'Alfred Adam. Projet important, *La Lanterne magique* ou *Jour de sortie* est refusé par le producteur André Paulvé, qui va lui préférer *Les Visiteurs du soir*.

Une photographie qui vaudrait cent commentaires : ci-dessous, Prévert et Carné travaillant face à face à la préparation des *Visiteurs du soir*. Le découpage en séquences, orienté vers le scénariste, a visiblement été établi par lui. Magique histoire d'amour fou, le film devait constituer, selon les termes d'André Bazin, un «événement révolutionnaire».

Magique histoire d'amour fou et fantastique social

Les Visiteurs du soir (1942). Une histoire prévue (pour Grémillon, encore) à l'époque contemporaine, que la crainte de la censure pétainiste amena Prévert et Pierre Laroche (écrivain de cinéma non conformiste) à transposer dans un Moyen Age rêvé à partir des *Très Riches Heures du duc de Berry*. Elle aurait dû conserver une cruauté à la William Blake (*Le Mariage du ciel et de l'enfer*, 1793), mais Carné, tout aux enluminures et miniatures, aseptisa quelque peu l'ensemble. Le décorateur de théâtre Georges Wakewitch aménagea les maquettes de Trauner (le château blanc parut un peu trop neuf) et le compositeur André Thiriet orchestra les thèmes de Kosma. Jules Berry est un diable cauteleux, Alain Cuny un amant fleur bleue, Arletty un page équivoque : sur elle repose le charme du film. Parmi les assistants du metteur en scène : Michelangelo Antonioni; parmi les figurants : Alain Resnais. Avec

L'Eternel Retour, *Les Visiteurs du soir* fut le grand succès public des années d'Occupation.

Lumière d'été (1943). Deux couples, dépeints sans complaisance, et deux milieux sociaux : celui des ouvriers d'un barrage voisin opposé aux protagonistes d'une comédie humaine bien frelatée. Le manichéisme reproché parfois à Prévert est ici transcendé par la complexité quasi mythique d'une sourde lutte contre les forces du Mal qui sont en chacun.

Futur antérieur

Adieu Léonard (1943). Cette reprise d'un ancien projet des frères Prévert (*L'Honorable Léonard*, 1930) voit réapparaître la firme au coq, Pathé, qui exige que le rôle de Ludovic le fantaisiste soit tenu non par Robert Dhéry mais par Charles Trenet.

Jean Grémillon était sans doute le cinéaste le plus proche de Jacques Prévert : «un homme habité», disait-il. Les producteurs refusèrent la plupart de leurs projets communs, hormis *Remorques* et *Lumière d'été*, où Madeleine Robinson devait remplacer Michèle Morgan, partie pour Hollywood. Quant à Pierre Prévert, réservé, contemplatif, souriant, sensible, poète en un mot, plus lunaire qu'autoritaire, il ne parvint jamais à s'imposer vraiment. Il n'en fut pas amer pour autant, à peine un peu triste. Sur le tournage de *Adieu Léonard*, il ne s'accorda guère avec Charles Trenet, qui préférait ses propres chansons («Quand un facteur s'envole», qu'il chante dans la scène en haut, à gauche) à celles de Kosma; pourtant, quand le public rejeta le film – encore! –, Trenet soutint dans la presse les frères Prévert.

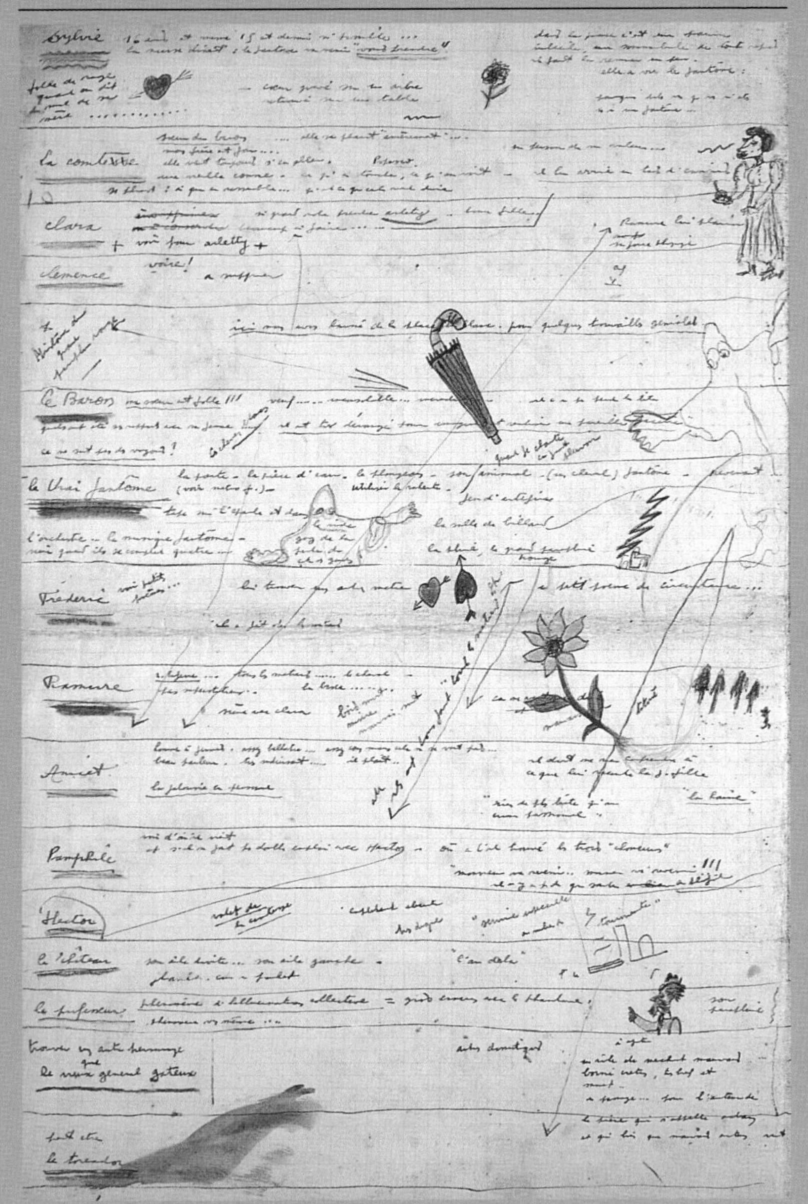
Sylvie
la comtesse
clara
voir pour arletty +
voire!
clemence
le Baron
le vrai fantôme
Frédéric
Ramure
Amicet
Pamphile
Hector
le professeur
le vieux général gâteux
le trembleur

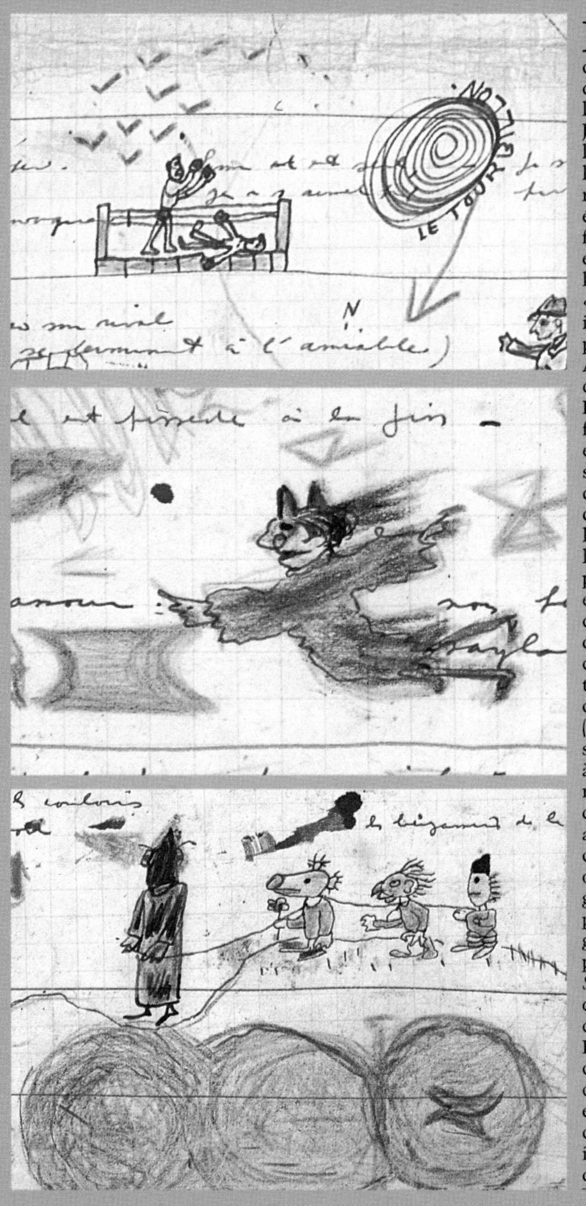

Pour travailler à ses scénarios, au stade de la mise au point de l'intrigue, avant l'écriture des dialogues, Jacques Prévert avait l'habitude de présenter les personnages, leurs rapports et la suite des épisodes sur de grandes feuilles. Autant-Lara en témoigne déjà pour l'époque de *Ciboulette* : «Il épinglait au mur une immense feuille de papier Canson, Grand Aigle, qui y restait constamment fixée. Dessus, il inscrivait au fur et à mesure, bien en ordre, toutes les séquences du film... De cette manière, il avait constamment toute la ligne du film sous l'œil... Cet immense plan, il l'agrémentait, en marge, de quantité de petits dessins.» Il continuera à dessiner dans les marges... Plus tard, certaines pages de ses synopsis (premier état d'un scénario) ressembleront à de véritables manuscrits enluminés, comportant des croquis aux crayons de couleur, des esquisses de scènes ou de personnages, des gags. L'imaginaire d'un poète en liberté. A gauche, la moitié d'une page de travail pour *Sylvie et les fantômes*; ci-contre, en haut, un détail de l'autre moitié. En dessous, un croquis du Diable et un autre des trois petits monstres et leur maître, tous deux tirés de la liste illustrée des personnages des *Visiteurs du soir.*

-J'ai connu Monsieur JACQUES PREVERT
1943 à PARIS.La sincerité des sentimen
-rationnistes de monsieur Jacques PREV

Au moins, Pierre Prévert, longtemps assistant, peut-il signer là son premier long métrage, entouré de Lou Bonin, Yves Deniaud, Guy Decomble, Fabien Loris, Maurice Baquet… sans compter les nombreuses silhouettes de «petits métiers» justifiant des cachets bienvenus pour tous, en cette dure période.

Jacques voit Desnos, Picasso. Claudie Carter le quitte. Il retrouve cette jeune femme que Maurice Baquet lui avait présentée en 1936 et qui avait été entre-temps l'épouse de Fabien Loris. Pour elle, il compose le premier collage qu'il ait conservé : le *Portrait de Janine*. Ils ne se quitteront plus. Elle participe à un groupe actif de Résistance, comme les amis André Verdet (poète de Saint-Paul-de-Vence qui sera déporté à Buchenwald et en sortira en mai 1945) ou André Virel (qui sautera du train de déportation). Lui ne dépasse pas quelques provocations, risquées, envers les occupants, sans parler du soutien à ses amis juifs. Son pacifisme intégral – proche du *Refus d'obéissance* de Giono – se refuse à toute action armée, fût-ce contre le nazisme. Il résumera sa position en 1961 : «Je n'ai jamais tué personne : c'est peut-être pour ça que personne ne m'a jamais tué.» Et à la remarque «Si tout le monde avait fait comme vous!» il répond : «Eh oui, si tout le monde avait fait comme moi?»

Les Enfants du paradis (à gauche, en bas) – le premier film dont Jacques Prévert soit l'auteur complet! – bénéficia de l'incroyable ténacité de Marcel Carné à piloter, depuis les décors reconstitués en extérieurs, à Nice, à La Victorine, jusqu'aux studios parisiens, ce vaisseau démesuré. Seuls les somptueux costumes dessinés par le peintre Mayo (ci-dessous) ne créèrent pas de difficultés : ils furent exécutés chez Lanvin, la haute couture échappant aux restrictions, au titre de la Propagande française!

enariste,au debut Octobre
anti-nazis et anti-collabo-

En 1943, à Reims, le professeur de philosophie Emmanuel Peillet (plus tard, fondateur du Collège de pataphysique avec Maurice Saillet, sous le pseudonyme de J.-H. Sainmont) ronéote à deux cents exemplaires, avec ses élèves, un cahier comprenant huit textes de Prévert, parmi lesquels «Tentative de description d'un dîner de têtes à Paris-France», «Le Temps des noyaux», «Evénements» et «Le Paysage changeur».

«Je suis comme je suis. J'aime plaire à qui me plaît»

Les Enfants du paradis (1944). C'est Jean-Louis Barrault qui raconta à Prévert et Carné, en quête d'un sujet aussi «historique» que *Les Visiteurs du soir* pour éviter la censure, l'histoire du célèbre mime Deburau qui, sur le «Boulevard du Crime» (théâtre ainsi surnommé au temps du romantisme, parce qu'on y jouait des mélodrames populaires), assomma un adolescent qui l'insultait : le Tout-Paris accourut au procès pour entendre enfin sa voix. Carné, lui, se précipita au musée Carnavalet pour trouver une documentation sur l'époque, tandis que Prévert se rendait compte que ce passage... du muet au parlant était une fausse bonne idée, les spectateurs connaissant déjà la voix de Jean-Louis Barrault! Mais une autre inspiration vint de son intérêt pour Lacenaire, assassin provocateur et poète, qui eut son heure de gloire vers le même temps. Prévert mêla les deux intrigues, inventa le personnage central de Garance (Arletty), femme fatale et simple

Résistant et coauteur avec André Verdet et Jacques Prévert du *Cheval de trois*, André Virel dut, au moment des règlements de compte de l'après-guerre, témoigner en faveur de Prévert (ci-contre), dont le pacifisme ne manquait pas d'irriter certains. Le poète-scénariste n'avait pas manqué pourtant de protéger ses amis, jusque dans la réalisation des *Enfants du paradis* : Trauner, qui en concevait les décors (ci-dessus, son rideau de scène), Kosma, qui composa la musique, tous deux juifs, ne pouvaient travailler au grand jour; à l'opposé, Arletty, ou l'acteur Le Vigan, qui craignait des représailles pour sa collaboration avec les occupants, et dut abandonner le tournage (il fut remplacé par Pierre Renoir).

dont tombent amoureux fous l'acteur Frederick Lemaitre (Pierre Brasseur), l'aristocrate de Montray (Louis Salou), Lacenaire, écrivain public, qui pourtant n'aime guère les femmes (Marcel Herrand), et enfin Baptiste (Jean-Louis Barrault), mime génial et candide. Carné fit traîner le montage de façon à retarder la sortie jusqu'à la Libération, où l'œuvre fut reçue comme un monument.

En 1944 (ci-dessous), Joseph Kosma au piano, Robert Scipion et Jacques Prévert dans l'un de ses gestes familiers : allumer une cigarette avec la précédente.

En 1944 et 1945, divers poèmes de Prévert paraissent dans des revues qui fleurissent alors : *Poésie 44* (Pierre Seghers), *L'Eternelle Revue* (Paul Eluard), *Cahiers d'art*, *Confluences*, que dirigent René Tavernier et René Bertelé.

Une histoire de sorciers dans le Massif central

Sortilèges (1945). D'un roman de Claude Boncompain, *Le Chevalier de Riouclare*, Jacques Prévert et Christian-Jaque ont tiré un film étrange qui privilégie l'histoire d'amour avec une grande sobriété de style, et dans lequel Christian-Jaque poursuit, après *Boule de suif*, *Les Disparus de Saint-Agil* et *L'Enfer des anges*, une peinture douce-amère de notre société.

«Jacques Prévert a paré toute l'histoire de ce drame de sa propre magie, saluent Raymond Chirat et Olivier Barrot, élaguant le roman, le condensant, n'en conservant que les croyances païennes, et développant toute l'histoire d'amour en sentences et en maximes : "Aimez-vous dès maintenant et ne faites pas semblant, aimez-vous tout de suite et quand l'heure sonnera quittez-vous bons amants."»

«Le petit homme qui chantait sans cesse / le petit homme de la jeunesse / a cassé son lacet de soulier.» Publié en 1945 dans la revue *Labyrinthe*, ce poème pourrait être une évocation discrète de Suzanne Prévert, morte quelques mois plus tôt.

La mort d'une mère, la fin de la guerre

Jacques et Pierre perdent leur mère, Suzanne, le 21 février 1945 : elle avait soixante-huit ans.

Aubervilliers (1945). Un documentaire de vingt minutes, photographié et réalisé par Eli Lotar (il était déjà derrière la caméra pour *L'affaire est dans le sac*). Jacques Prévert en fit le commentaire, dit par Roger Pigaut.

Germaine Montero donne un récital Prévert au printemps 1945 au théâtre de l'Athénée : dix chansons accompagnées au piano par Kosma. Le 15 juin, au théâtre Sarah-Bernhardt, Roland Petit crée le ballet *Le Rendez-Vous* (musique de Kosma, costumes de Mayo, décors de Brassaï, rideau de Picasso), avec Marina de Berg, Roger Blin, Fabien Loris. Le pas de deux du troisième tableau est le thème des «Feuilles mortes». A la fin de l'année, «L'Ecole buissonnière», cinq émissions de radio consacrées à Prévert et animées par Robert Scipion, eut une écoute extraordinaire.

Neige photogénique, mais sentiments troubles malgré quelques cocasseries rurales (Sinoël en vieille paysanne) : le parfum étrange de *Sortilèges* ne s'est pas éventé.

Aubervilliers (ci-contre), court métrage sorti avec *La Bataille du rail* de René Clément, connut un retentissement certain. Financé par le maire communiste Charles Tillon et tourné dans un quartier destiné à la démolition, il attaquait la gestion du maire d'avant-guerre, Pierre Laval. «Gentils enfants d'Aubervilliers / Gentils enfants de prolétaires», chantait Germaine Montero sur des paroles de Jacques Prévert.

En 1946, *Les Enfants du paradis, Sortilèges, Aubervilliers* sont sur les écrans. Roland Petit danse le ballet *Le Rendez-Vous*. Cinq émissions sur Prévert sont données à la radio, un récital de chansons «Prévert et Kosma» à Pleyel. Depuis dix ans, Jacques Prévert s'est avant tout consacré au cinéma, quand l'explosion de *Paroles* le projette au tout premier rang des écrivains, lui qui se voulait «plutôt homme de main qu'homme de plume»...

CHAPITRE IV
POUR LA POÉSIE

Poèmes (un mot qu'il n'aimait guère), chansons (ci-contre, la partition d'*Inventaire*, au célèbre raton laveur), sketches, collages, commentaires... Entre 1946 et 1972 vont paraître six volumes de textes de Jacques Prévert : une *Œuvre complète*, savoureuse et complexe.

A Nice, en 1942, le professeur de lettres René Bertelé avait sympathisé avec Prévert. Il rêvait d'édition et ne tarde pas à fonder sa propre maison : Le Point du jour (qui, en 1949, passera sous l'égide de Gallimard). Henri Michaux lui conseille de publier les poèmes épars de Jacques Prévert. Ce dernier l'apprend et – «Je ne saurai jamais pourquoi», confiera-t-il – appelle Bertelé. Il est vrai que, jusque-là, Prévert ne se voyait pas en «auteur de livres», à l'image de tant de plumitifs qui l'amusaient. Un instant de faiblesse!

«Paroles» : un grand poète est né

Bertelé reprend trente textes çà ou là, obtient cinquante inédits, et groupe le tout par ordre chronologique. *Paroles*, imprimé fin 1945, compte deux cent vingt-cinq pages; sur la couverture, son titre s'inscrit parmi les graffitis d'un mur photographié par Brassaï. La semaine même de sa sortie, en mai 1946, cinq mille exemplaires sont vendus.

Les gens de vingt ans trouvent dans *Paroles* précisément ce qui venait d'être réprimé quatre années durant par les «Travail-Famille-Patrie» : l'individu, la révolte, l'amour, l'humour. Du jour au lendemain, «Le Dîner de têtes» ou «La Crosse en l'air» deviennent les classiques d'une génération qui découvre en même temps le jazz, la liberté.

L'accueil critique ne sera pas en deçà de l'engouement du public. Maurice Nadeau, Georges Bataille demandent que l'on ne s'y trompe pas : cette poésie populaire est aussi savante que celle de Valéry. André Rousseaux ou Gaëtan Picon assurent que cet anticléricalisme virulent ne les gêne en rien. Et quant aux communistes, ils ne tiquent point trop encore sur l'anarchisme : cela viendra.

Noires, «Les Portes de la nuit»...

Prévert cependant n'abandonne pas le cinéma. Développant ce qui avait été le thème du ballet *Le Rendez-Vous*, monté en 1945 par Roland Petit (pour échapper au Destin, le héros prend rendez-vous avec la plus belle fille du monde; mais elle lui tranchera la gorge avec le rasoir que le Destin avait glissé dans sa poche), il s'inspire de lui-même pour écrire *Les Portes de la nuit*.

Yves Montand et Nathalie Nattier (page de droite, en bas) sont le couple vedette des *Portes de la nuit*. Au départ, le rôle principal était destiné à Marlène Dietrich, qu'un Jean Gabin hollywoodien puis engagé dans les Forces Françaises Libres, avait ramené dans son sac marin. Mais Prévert, à La Colombe-d'Or de Saint-Paul-de-Vence, sentait l'affaire mal partie : Gabin insistait pour que le rôle de Marlène soit étoffé (elle refusa de chanter «Les Feuilles mortes», qu'elle n'aimait pas), pour qu'on ne parle pas de collabos et de dénonciateurs – «mauvaise propagande à l'étranger» – mais de résistants. Finalement, Gabin et Marlène préférèrent tourner *Martin Roumagnac* (ci-dessus) de Georges Lacombe, qui ne fut pas un succès. «J'ai fait une connerie», avouera plus tard Gabin.

Dès 1936, les Auberges de jeunesse, avec leurs soirées feux de camp et chœurs parlés avaient constitué un banc d'essai aux premiers poèmes de Prévert. Avant même la parution de *Paroles* (1946, ci-contre, la couverture de l'édition originale), pendant l'Occupation, ils circulèrent, recopiés à la main, tapés à la machine, «distribués sous forme de textes ronéotés» et «lus avec avidité», écrit Georges Charpak, qui ajoute : «Prévert était pour moi, pour nous tous, une véritable idole.»

Yves Montand, remarqué comme crooner avec «Dans les plaines du Far West quand vient la nuit» mais acteur encore inexpérimenté, et Nathalie Nattier, d'origine russe, inconnue endossant le titre lourd à porter de «plus belle fille du monde», ne pouvaient se hausser du premier coup au rang de mythes, malgré la férule de Maître Carné.

Jean Vilar dramatisait son rôle de mendiant/Destin. Certes, on retrouvait Brasseur, Carette, Saturnin Fabre, Sylvia Bataille, Bussières, Loris qui chantait «Les enfants qui s'aiment / S'embrassent debout derrière les portes de la nuit». Mais l'insuccès du film (qui affecta certainement Prévert) vint surtout de son pessimisme, plus noir encore dans sa critique sociale des années de guerre qu'au temps du «réalisme poétique». Alors que le public souhaitait plutôt respirer enfin la fleur bleue...

En 1946, le Vatican (par le biais de capitaux investis dans la production italienne) fait échouer l'idée d'un *Candide* avec Gérard Philipe.

De la péniche à l'autocar

Il semble qu'un changement de ton s'impose, alors... Une inspiration rose, pourquoi pas? Qu'on en juge : les pittoresques passagers d'une péniche des bords de la Marne ont mis au point le carburateur «Aqua Simplex», qui permet de remplacer l'essence par l'eau. De son roman *Bitru ou les repues franches*, Albert Paraz (qui politiquement évoluera dans le même sens que son ami Céline) avait tiré un scénario que Prévert n'utilisa guère : il reprit, avec son complice Pierre Laroche, la conclusion du livre et développa autrement l'intrigue et les personnages pour donner *L'Arche de Noé*.

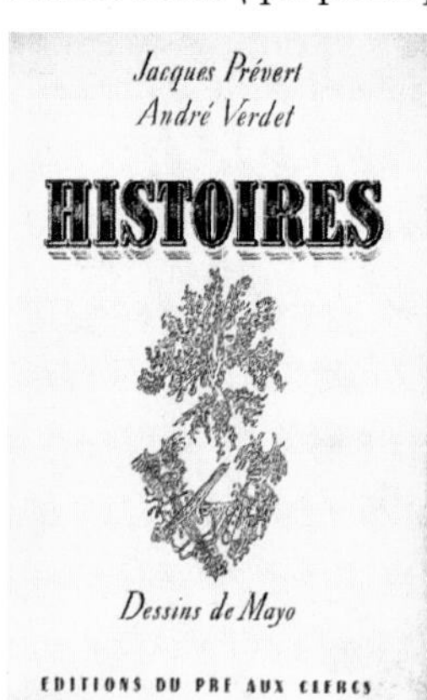

Presque immédiatement après survient le dernier feu d'artifice de l'équipe Prévert : *Voyage-Surprise*. Réalisation : Pierre Prévert, assisté de Lou Bonin. Décors de Trauner, musique de Kosma. Avec Sinoël, Maurice Baquet, Etienne Decroux, ainsi qu'une nouvelle venue : Martine Carol. Parmi les figurants : Arthur Adamov... Insuccès immédiat et total pour cette odyssée d'un groupe de touristes à travers un coin de France profonde, éternelle, mais surtout inattendue.

“Une femme se jette dans une rivière / Cette rivière se jette dans un fleuve / Un homme se jette dans ce fleuve / Et ce fleuve se jette dans le mer / Et la mer rejette sur la terre / Une pipe d'écume / Et la dentelle blanche de ses vagues étalées / Qui brille sous la lune / C'est la robe de la mariée / Simples cadeaux de noces de la grande marée.”
«Les Noces», in *Histoires*, 1946

Créations collectives

Outre *Paroles*, Prévert signe, ou plutôt cosigne, deux ouvrages pendant cette même année 1946 : avec André Verdet et André Virel, *Le Cheval de trois*, dans lequel chacun des trois donne treize poèmes; puis la première version d'*Histoires*, un recueil de trente poèmes de Prévert et de trente poèmes de son ami Verdet, avec trente dessins plus une couverture du peintre Mayo, que publient les éditions du Pré-aux-clercs.

En octobre, Jean-Louis Barrault crée *Baptiste* au théâtre Marigny, pantomime en six tableaux d'après *Les Enfants du paradis*, avec musique de Kosma et costumes de Mayo. Marcel Marceau y tient le rôle

Comme le plus souvent avec Jacques, comme toujours avec Pierre, dans *Voyage-Surprise* (ci-dessus), distanciation ironique et participation (idéologique!) font partie des qualités que le spectateur doit apporter avec lui. Pierre était pour Jacques «un des rares metteurs en scène "français" à faire des films où l'humour était dedans comme chez lui, ce qui explique qu'ils ne plaisaient pas à tout le monde».

d'Arlequin. Succès international. A peine avait-on remarqué, à la fin des *Portes de la nuit*, la voix d'Irène Joachim chantant «Les Feuilles mortes», mais les choses changent : Prévert est partout, cité, fredonné. L'éditeur musical Enoch publie *21 chansons de Prévert et Kosma*. Les chansons – dont les paroles parfois, telles «Les Feuilles mortes», sont inédites – paraissent en petit ou grand format, avec ou sans accompagnement.

Mais le clou de cette année 1946, le bonheur de Prévert, c'est une création partagée avec sa femme Janine : leur fille Michèle naît en novembre (non sans problèmes, sa mère ayant été longtemps malade).

Des contes à dormir debout

La naissance de «Minette» permet à Jacques de s'essayer dans un nouveau registre. Lui qui ne fut jamais un fidèle des maîtres et des classes aura le don de se faire écouter des enfants. Les tirages de ses ouvrages qui leur sont destinés vont se multiplier et Prévert entre dans la culture collective par la grande porte, celle de l'école maternelle.

Contes pour enfants pas sages paraît en mars 1947, aux éditions du Pré-aux-clercs, avec des dessins d'Elsa Henriquez, au «petit monde raisonnable et fou». L'auteur commence très fort dans le non-conformisme, racontant, dans «L'Autruche», l'histoire du fils Poucet qui abandonne ses parents bêtes et

méchants. Avec sept autres contes. Enfantine collaboration encore : *Le Petit Lion*. La photographe animalière Ylla y montre ce que Prévert raconte : les animaux se conduisent mieux que les hommes, et pour fuir la triste réalité, il faut rêver. Le texte fut à tel point coupé par l'éditeur que Prévert faillit refuser sa signature.

La naissance de Michèle (dite Minette, ci-dessous) contribue à fixer Jacques et Janine à Saint-Paul-de-Vence, puis, à Paris, sur la terrasse de la cité Véron. A gauche, Jacques Prévert avec Elsa Henriquez, qui vient d'illustrer ses *Contes pour enfants pas sages*. Elle est la fille de la danseuse péruvienne Helba Huara et l'épouse du photographe peintre Emile Savitry. En page de gauche, Jacques avec Marianne Oswald (1903-1985), la chanteuse née en Lorraine annexée, d'où son accent qui choque Paris dès 1932. En 1948, Prévert préfacera son autobiographie *Je n'ai pas appris à vivre*.

Et pendant ce temps-là, le répertoire Prévert continue imperturbablement sa carrière. Dans le Saint-Germain-des-Prés de 1947, Michel de Ré, Yves Robert font des triomphes, à La Rose rouge, en reprenant «En famille» ou «Branle-Bas de combat». Yves Montand popularise «Les Feuilles mortes». Et Marianne Oswald, retour des Etats-Unis, rousse, rauque, expressionniste, chante Prévert à la radio.

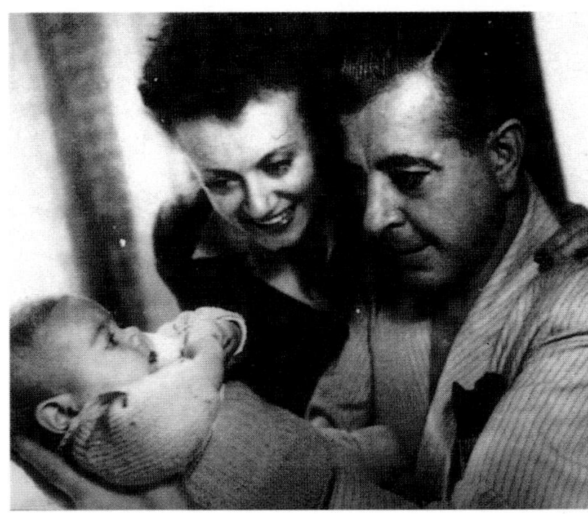

Joseph Kosma

Prévert-et-Kosma, ce fut mieux qu'une entente passagère : une complicité, une osmose, comme il y eut Prévert-et-Tchimoukov, Prévert-et-Carné, Prévert-et-Trauner, Prévert Jacques-et-Prévert Pierre! Ils sont indissociables dans les mémoires de ceux qui savent «par cœur» leurs 50 chansons. De Budapest (où il naquit en 1905, fit le conservatoire et une rencontre : Bartók), par Berlin (en 1929, dans le groupe Hélène Weigel-Bertolt Brecht; une rencontre : Eisler), à Paris enfin, en 1933 (une rencontre : Prévert, et aussi Agnès Capri, Marianne Oswald, un éditeur, Enoch, dont le fils publiera en 1946 les chansons de «Prévert-et-Kosma»). Kosma sut apporter aux textes de Jacques un phrasé original, riche de trouvailles et de chutes : «et naturellement : le raton laveur!», «Brest / Dont il ne reste rien», «A pied, à cheval, en voiture / Et en bateau à voile». Qui pourrait oublier ces mélodies? Pas davantage celles des débuts : «Les enfants qui s'aiment», «Les feuilles mortes se ramassent à la pelle»..., toutes entrées, ancrées sans tapage dans l'inconscient collectif. Kosma composa ensuite des opéras, des pièces pour orchestre et, surtout, de nombreuses musiques de films. Il est mort en 1969.

é la chan-son que tu me chan-tais
C'est une chan
LE MUSICIEN
MYSTERY STREET
SLOW
paroles de
JACQUES PLANTE
musique de
M. PHILIPPE-GÉRARD
TOUTE LA DANSE...
SÉRIE
AMBIANCE
SANGUINE
JOLI FRUIT
SLOW
paroles de
JACQUES PRÉVERT
musique de
HENRI CROLLA
Éditions Jacques Plante
EMBRASSE-MOI
CRÉATION
MARIANNE
OSWALD
PAROLES DE
JACQUES PRÉVERT
MUSIQUE DE
WAL-BERG
ÉDITIONS CODA S.A.
quand tu dors..
paroles de
Jacques Prévert
musique de
CHRISTIANE
VERGER
CRÉÉE ET
ENREGISTRÉE PAR
1939
AGNÈS CAPRI
ENREGISTRÉE PAR
CORA VAUCAIRE
ÉDITIONS JEANNE LACROIX

Les étoiles chantent

La chanteuse et comédienne Florelle (ci-contre, en bas), interprète française de *L'Opéra de quat'sous*, enregistre «Embrasse-moi», sur une musique de Wal-Berg (Waldemer Rosenberg), premier disque de Prévert. Marianne Oswald la chante sur scène, et l'enregistre en 1935 avec «La Chasse à l'enfant». Puis c'est Agnès Capri (page de gauche, en bas), qui détaille Prévert de sa voix acidulée au Bœuf sur le toit, avant de le faire Chez Agnès Capri, où Louis Bessières sera pianiste. En 1940, Edith Piaf avait gravé «Cri du cœur». Yves Montand, «ce grand garçon vivant, ingénu et lucide», commence à populariser «Les Feuilles mortes». Les Frères Jacques, «enfants de la balle au bond», Catherine Sauvage, Juliette Gréco inscriront ces chansons à leurs répertoires. Henri Crolla, dit Mille-Pattes tant ses doigts couraient vite sur sa guitare, accompagnait souvent Jacques quand il lisait ses textes en public. Sur des notes de Christiane Verger, de Louis Bessières, et d'autres, Germaine Montero, Fabien Loris, Mouloudji, Serge Reggiani, Cora Vaucaire, Catherine Sauvage chanteront Prévert… Aujourd'hui, Catherine Ribeiro, Jean Guidoni, Arthur H ou Chanson Plus Bifluoré. Les rappers le découvrent…

Comptes et mécomptes

Mais 1947 est aussi l'année où deux films auxquels Prévert tenait beaucoup, et qu'il avait entièrement rédigés, ne purent être menés à bien. *La Fleur de l'âge*, d'abord, reprenait le projet avorté de 1936, *L'Ile des enfants perdus*. Carné en commença le tournage, sans trop d'enthousiasme semble-t-il, état d'esprit partagé aussi bien par la censure, encore, que par la

production. Anouk Aimée aurait débuté dans ce film, aux côtés d'Arletty, de Paul Meurisse et de Serge Reggiani... Malchance et démoralisation s'étant mêlées de l'affaire, le film fut interrompu au bout de trois mois.

Hécatombe ou *L'Epée de Damoclès*, ensuite, est, selon ses proches, le plus beau scénario de Jacques Prévert, dont il avait prévu de signer la réalisation conjointement avec son frère Pierre. Pierre Brasseur eut été Denys Tiran, et Reggiani, Damo. Orson Welles s'enthousiasma aussi pour ce rôle, l'auteur pensa ensuite en faire une pièce... Mais le projet, bien avancé, devait être suspendu dramatiquement en octobre 1948.

Prévert tirait le diable par la queue, venait de refuser une collaboration avec Carné quand le producteur Raymond Borderie lui demande d'adapter et d'écrire les dialogues des *Amants*

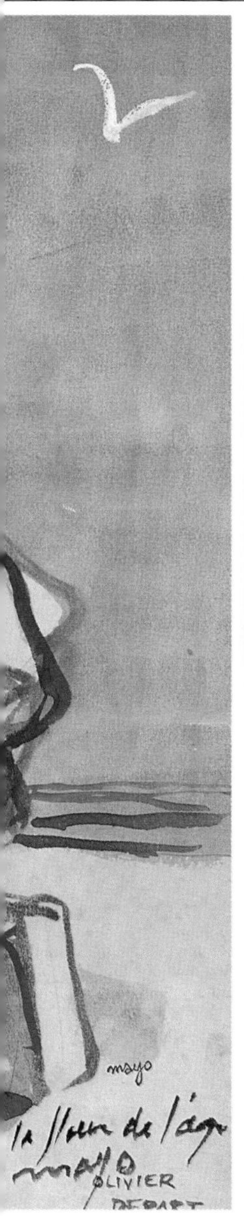

de Vérone, à partir d'un scénario d'André Cayatte, qui en sera le réalisateur. Comme il aurait souhaité le faire, en 1941, avec *Manon Lescaut* pour *Une femme dans la nuit*, Prévert reprend l'idée de deux actions parallèles : entre une histoire d'amour littéraire (ici celle de Roméo et Juliette) et l'amour réel de deux comédiens l'interprétant. Rescapés de *La Fleur de l'âge*, Serge Reggiani et Anouk Aimée seront ces deux amants, doublures d'acteurs jouant Shakespeare dans un XXe siècle où les Montaigu et les Capulet sont devenus procureurs fascistes, profiteurs du marché noir. Entre Saint-Paul-de-Vence et Venise, le tournage commence au mois de juillet 1948.

Alexandre Trauner, Jacques et Pierre Prévert en repérage pour *Hécatombe* – film qui ne sera jamais tourné – dans l'amphithéâtre romain de Fourvière, à Lyon (page de gauche). De *La Fleur de l'âge* ne restent que le scénario, quelques photographies des premières séquences tournées et des gouaches de Mayo (au centre) pour des projets de costumes.

Prévert a toujours créé des personnages en fonction des acteurs qui devaient les incarner. Serge Reggiani et Anouk Aimée, les *Amants de Vérone* (ci-dessus), que l'aventure sans lendemain de *La Fleur de l'âge* avait déjà réunis un an plus tôt, diront leur dialogue tendre, lyrique; Louis Salou, Pierre Brasseur et l'étonnante Marianne Oswald étant chargés, à l'inverse, d'exprimer la face noire de l'humanité.

Andersen, Grimault et… la chute

Depuis les années 1930 et leurs gags communs pour films publicitaires, Paul Grimault fait partie de la garde rapprochée de

Prévert et ses dessins sont proches parents des mots en liberté de Jacques. Tous deux sont coauteurs de films d'animation comme *Le Petit Soldat* (1948) d'après un conte d'Andersen, avec une belle mélodie de Kosma, ou *La Bergère et le Ramoneur*, projet en développement de 1946 à 1950.

Au 118, Champs-Elysées, le bureau 102 de la Radio est surnommé l'aquarium à cause de ses deux larges baies vitrées sans garde-corps et s'ouvrant vers l'extérieur. Prévert y arrive accompagné par Alexandre Trauner, pour se faire interviewer à propos du film *Le Petit Soldat*. Il salue les journalistes présents. En bas, la foule impatiente guette le passage du boxeur Marcel Cerdan, revenu des Etats-Unis avec le titre de champion du monde. Prévert, curieux, s'approche, s'appuie à la fenêtre qui s'ouvre, vacille, et s'écrase quatre mètres plus bas sur le trottoir.

Eloignement

A l'hospitalisation fera suite une longue convalescence. Jacques s'installe avec Janine et Michèle à Saint-Paul-de-Vence, près de ses amis André Verdet, Pablo Picasso, Georges Ribemont-Dessaignes. Durant l'été 1949, il y travaille avec André Gide et Yves Allégret à une transposition des *Caves du Vatican*; mais, comme en 1946, le Vatican réitère ses pressions sur la firme productrice, Unitalia, et le projet capote.

Dans *La vie commence demain*, film de Nicole Védrès tourné en août 1949, Jacques Prévert fait une apparition. C'est le mot, puisqu'il se trouva sur le tournage par hasard, alors que, de passage à Vallauris, il rendait visite à Picasso, dûment prévu, lui, à l'instar des Gide,

La chute d'un poète aux Champs-Elysées fait le titre de l'actualité le 13 octobre 1948, avec croquis à l'appui (à gauche). «Il avait décidément la vocation de passer à travers les fenêtres», dira Tanguy en 1950, ajoutant qu'il en avait déjà fait autant rue du Château! Maurice Henry, humoriste d'inspiration surréaliste, lui envoie un petit dessin (à droite).

« Tout était calculé d'avance / avant même d'être admis aux urgences / j'étais déjà radiodéfenestré / et dans le monde occimental / immédiatement déporté. »
A Raymond Leibovici

Sartre, Le Corbusier, Jean Rostand ou autres Joliot-Curie, dans ce document sur le vif.

Il dit lui-même son commentaire de *Bim le petit âne* d'Albert Lamorisse, dont la justesse de ton l'a convaincu. Il récidive avec la photographe Ylla et, cette fois, le maquettiste Pierre Faucheux : *Des bêtes*.

La publication d'«Intempéries» dans le *Mercure de France*, toujours en 1949, provoque une vague de désabonnements. Cependant que Claude Roy salue «un des grands pamphlétaires de ce temps».

Ruptures

Du fond de sa Provence, il suit la réalisation par Grimault de *La Bergère et le Ramoneur*. Le film tardait. André Sarrut – qui, en 1936, avait fondé avec Grimault la société de production Les Gémeaux – tenait à le présenter au Festival de Venise...

Paul Grimault, réalisateur de dessins animés, vient chercher son ami Jacques à sa sortie de la maison de convalescence (ci-contre). Depuis le temps du Groupe d'Octobre, il participe aux activités prévertiennes : il tient ainsi un petit rôle dans *Le Crime de M. Lange*. On avait remarqué, en 1945, son *Voleur de paratonnerres*, mais en 1948, *Le Petit Soldat*, cosigné avec Prévert, va emporter le prix international du Dessin animé à la Biennale de Venise, ex-æquo avec *Melody Time* de Walt Disney. Après la mort de Jacques, il fera de *La Bergère et le Ramoneur* un film d'animation couronné de succès : *Le Roi et l'Oiseau*.

Une bataille juridique s'ensuivit. Kosma prit le parti du producteur contre Grimault et Prévert, ce qui, outre son adhésion inconditionnelle au parti communiste, mit fin à une féconde amitié.

A inscrire encore au passif de 1950 deux sketches, «La Statuette» et «Le Violon», pour *Souvenirs perdus* de Christian-Jaque, ainsi qu'une collaboration (non revendiquée) avec Chavance et Ribemont, à l'adaptation de *La Marie du port* de Simenon pour Carné... Ce fut là le point de rupture, non seulement avec Marcel Carné mais avec le cinéma, les films de long métrage en tous cas. Prévert avouait un certain agacement à voir éreinter en quelques lignes son travail de plusieurs mois; *Paroles* et «Les Feuilles mortes» lui ayant assuré ses paquets de cigarettes quotidiens, il préféra oublier désormais les tergiversations des producteurs. Quant au divorce d'avec Carné, aucun des deux intéressés n'a jamais donné d'explications précises : consentement mutuel... séparation à l'amiable... bref, le cœur n'y était plus.

«Spectacle» (1951)

Soixante-six textes sont minutieusement rassemblés sous le titre *Spectacles*, sketches du Groupe Octobre, chansons, poèmes, l'ensemble présenté comme des «numéros» se succédant sur une scène. «Uniformément mauvais», écrit Roger Nimier; «Cet "A la manière de soi-même" ajoute rien à pas grand chose» (Antoine Blondin); «Un Francis Jammes de l'athéisme» (Max-Pol Fouchet).

D'où vient une telle... fraîcheur? Sans doute du fait que Prévert persiste et signe dans un anticléricalisme irrécupérable. Ses attaques contre «les prêtres, les traîtres et les reîtres» vont au-delà du non-conformisme de bonne compagnie. Il ne pouvait guère s'attendre à se voir accueilli à bras ouverts par ceux-là mêmes qu'il étrillait vertement. Spectacles encore : en 1951, à la Fontaine des Quatre-Saisons, cabaret littéraire dont il est directeur artistique, Pierre Prévert recrée «Le Dîner de têtes» avec Roger Pigaut, François Chaumette et de nombreux masques signés par les amis, ainsi que «La Famille Tuyau de Poêle» avec les Grenier-Hussenot, Dufilho...

Le photographe Izis (Israëlis Bidermanas, né en Lituanie en 1911) publia, en 1950, *Paris des rêves*, qui lui permit de rencontrer Prévert et donna à tous deux (ci-dessous) l'envie de travailler ensemble. «Je lui montrais des photos, il choisissait les images qui étaient déjà les siennes d'avance. Il est arrivé qu'il sortait des poèmes de ses papiers et qu'il les associait aux photos que je venais de lui apporter.» A droite, en bas, la couverture de leur deuxième livre commun, augmentée d'un collage de Jacques.

Simone Signoret épouse Yves Montand à Saint-Paul-de-Vence, le 24 décembre 1951. Prévert est témoin. Il figure à droite sur la photo ci-contre, prise à l'auberge de La Colombe d'Or.

Spectacle (ci-dessus) s'ouvre avec «La Transcendance», un dialogue dans l'esprit du Groupe Octobre, dont la diffusion à la radio avait été interdite. L'auteur a repris d'anciens textes, réécrit *La Bataille de Fontenoy* et *Le Tableau des merveilles*. Un "tour de chant" présente le répertoire d'Yves Montand. Prévert commente Picasso, Miró ou *Los Olvidados*, film de Luis Buñuel sur un sujet qui lui tient à cœur : l'enfance délinquante. Citations malicieuses et charges au vitriol visent le même but : casser allégrement la pipe de quelques têtes de Turcs et de guignols, empêcheurs de danser en rond et de chanter en chœur.

Les images, source d'inspiration

Réalisés avec le photographe Izis *Le Grand Bal du printemps* (1951) et *Charmes de Londres* (1952) sont deux livres magiques. Les poèmes de Jacques n'y commentent pas les photographies comme des légendes; ils tiennent leur place à part entière.

En janvier 1952, à Hambourg, création de *Cœur de docker*, musique de Christiane Verger, avec Fabien

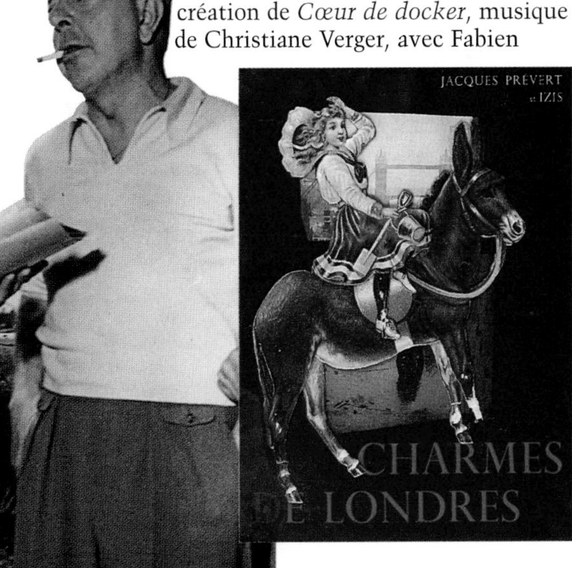

Loris, auteur aussi des décors. Elsa Henriquez illustre *Guignol*, fable subversive, fondée «sur des retournements de langages» dialectiques. Prévert, admis au Collège de pataphysique, publie la *Lettre des îles Baladar*. *Baladar* avait été le titre prévu pour un dessin animé en 1930. La *Lettre* est un pamphlet anticolonialiste et une charge à la Candide contre notre «Grand Continent».

En 1953 paraît *Tour de chant*, recueil de quatorze textes de Prévert mis en musique par Christiane Verger, illustré par Fabien Loris, alors son compagnon. Et puis l'histoire d'un petit garçon qui est toujours «dans la lune», pays fraternel de fêtes et de rêves : *L'Opéra de la lune* (musique de Christiane Verger, dessins de Jacqueline Duhême, qui avait fait déjà *Grain d'aile* avec Paul Eluard).

Lumières, orages, puis... «La Pluie et le Beau Temps»

Après avoir perdu le manuscrit de *Lumières d'homme*, que Jacques Prévert lui avait confié en 1936, l'imprimeur-éditeur Guy Levis-Mano l'avait retrouvé en 1940; puis, prisonnier pendant cinq ans, il l'égara à nouveau et finit par le publier dans ses *Cahiers G.L.M.* en 1954.

En 1955, Prévert, qui changeait sans cesse d'adresse, s'installe définitivement à Pigalle, cité Véron, sur une terrasse au-dessus du Moulin-Rouge, dans une petite maison de plain-pied construite par des décorateurs de cinéma. Il a pour voisin Boris Vian.

Cinquante-huit textes, dont la moitié sont inédits paraissent sous le titre *La Pluie et le Beau Temps*. C'est «un livre d'actualités», annonce l'auteur. Thèmes principaux : le beau temps, la nature, le poète enfant («L'Enfant de mon vivant»), la dénonciation des guerres («Entendez-vous, gens du

Vietnam...»), une revendication de l'art «vulgaire». Des chansons : «J'attends le doux veuvage / j'attends le deuil heureux»; du théâtre : «La Famille Tuyau de Poêle»; le rêve du ramoneur dans «Intempéries».

En 1956, avec Jean Aurenche – trois décennies ont passé depuis la rue du Château –, Jacques Prévert adapte, d'un auteur qu'il a toujours aimé, *Notre-Dame de Paris*. Aux côtés de Gina Lollobrigida et d'Anthony Quinn, certaines présences – Alain Cuny, Marianne Oswald, ou encore Philippe Clay, Jean Tissier – ne sont pas étrangères aux deux compères : il y a même Boris Vian. La réalisation, signée Jean Delannoy, ne fut pas à la hauteur du texte.

Prévert partage avec Boris Vian une très grande terrasse à l'ombre des ailes du Moulin-Rouge. Les membres du Collège de pataphysique y tiennent réunion; ils sollicitent des textes de la part de Jacques. En 1952 paraît la *Lettre des îles Baladar*, avec des dessins d'André François. L'année suivante, Jacqueline Duhême illustre *L'Opéra de la lune*, dont le héros rêveur se prénomme Michel...

VOYAGE
MER
DE

« Suis seulement candidat pour prix Nobel en qualité vulgarisateur poudre d'escampette», avait télégraphiquement protesté Prévert auprès de son éditeur qui le proposait au Prix de la Critique. Prévert touche-à-tout, Prévert qui tourne en poésie tout ce à quoi il touche, fut l'ami des danseurs, l'ami des acteurs, des musiciens, des chanteurs, des enfants et des bêtes, l'ami des photographes, l'ami des peintres… De plus en plus, et plus que tout : l'ami.

CHAPITRE V
POUR LE PLAISIR

D'amour ou de dégoût, les déclarations de Prévert n'ont guère varié, des années 1930 jusqu'à son dernier livre, *Choses et autres*, en 1972 : il n'a pas mis d'eau dans son vin. Sa douceur de vivre, il la trouve dans ses collages magiques (ci-contre). Avec Robert Doisneau, il part flâner dans les rues, humer l'air de Paris (à gauche).

Que le métrage soit long ou court, qu'il s'agisse d'un drame ou d'un documentaire, aucune différence pour qui a proclamé : «La poésie, ça court les rues. L'essentiel est de raconter des histoires.» Le cinéma continue avec Franju, Ivens, Prévert racontant toujours des histoires, par la voix d'Arletty, de Reggiani ou de Pigaut. En 1961, il adapte la romantique histoire d'Agnès Bernauer, l'ange d'Augsbourg, qui devient un sketch dans *Les Amours célèbres*, de Michel Boisrond (affiche ci-dessus).

Témoigner

Comme au temps du Groupe Octobre, Jacques découpe dans les journaux des nouvelles qui l'excitent. Les préfaces, les commentaires amicaux et les poèmes qu'il donne, dans son dernier quart de siècle où la notoriété l'a rejoint, sont une expression personnelle aussi importante que les textes édités ou les scénarios et les dialogues de films : Prévert continue à faire le commentaire du monde qui va.

En 1953, aux côtés de Michel Leiris, Francis Jeanson et bien d'autres, il avait participé à un volume rassemblé par Jean-Paul Sartre, *L'Affaire Henri Martin*, auquel il avait donné «Entendez-vous gens du Vietnam». En 1955, avec Maurice Druon, François Mauriac, il témoigne pour les Rosenberg dans *Le Chant interrompu*.

Pour le cinéma, il écrit sur les images de courts métrages : *Mon chien* de Georges Franju (1955), dit par Roger Pigaut; *La Seine a rencontré Paris* de Joris Ivens (1957), dit par Serge Reggiani; *Paris mange son pain* de Pierre Prévert (1958), dit par Germaine Montero; enfin *Les Primitifs du XIII*^{e} (arrondissement de Paris : dessins d'enfants filmés par Pierre Guilbaud, 1958), dit par Arletty. Il apporte son témoignage sur Robert Desnos dans *La belle saison est proche* de Jean Barral (1958). En 1959 disparaîtra brusquement Boris Vian.

Les frères amis

Pierre Prévert, qui avait réalisé en 1928 *Souvenirs de Paris* (ou *Paris Express*), reprend l'idée dans *Paris la belle*, en 1959, et la poursuit avec cette fois des images en couleurs de Sacha Vierny. Le texte de Jacques est dit par lui-même et par Arletty.

Il faut insister sur la profonde complicité qui, au-delà même du lien fraternel, a toujours uni Jacques et Pierre. Le premier fit l'impossible pour aider le second à être reconnu comme un metteur en scène à part entière. Après le cinéma, ce fut la télévision, avec trois «dramatiques» où Pierre fit preuve de sa maîtrise : *Le Petit Claus et le grand Claus*, d'après Andersen, en 1964; *La Maison du passeur*, en 1965; *A la belle étoile*, en 1966, d'après O'Henry (titre prévu : *Les Rois de la cloche*, mais...

Entre *Souvenirs de Paris* (1928) et *Paris la belle* (1959), quelle différence? S'ils ont changé en apparence, Jacques et Pierre (ci-contre) ont conservé intacte leur ironie libertaire. Toujours complexes et complémentaires, symétriques et chaleureux. Janine a donné le jour à Michèle; Gisèle, à Catherine; les deux pères de famille rivalisent d'élégance (dans le goût anglais) et d'humour dans le même ton, qu'Audiberti résume à propos d'*Adieu Léonard* : «L'œuvre donne l'impression d'avoir été faite pour obtenir, d'abord, l'agrément de ceux qui participent de la même pulsion mentale que Prévert un et deux.» La connivence est requise pour franchir le seuil de leur monde d'échanges légers et de pieds de nez aux conformismes : pour sourire, il faut accepter d'entrer dans le jeu; pour rire, être complice; et pour entendre les nuances, parler la langue est indispensable.

pour le soir de Noël!). Christiane Verger, pianiste et amie de jeunesse de Jacques, fera la musique du *Petit Claus*; Louis Bessières (qui avait mis en musique l'hymne du Groupe Octobre «Marche ou crève»), celle de *La Maison du passeur* et Jean Wiener (compositeur du *Crime de M. Lange*), celle de *A la belle étoile*. Trente ans après, la fidélité, dans cette équipe Prévert, n'était pas un vain mot!

Sans Jacques, Pierre Prévert dirigera encore pour la télévision, en 1963, *Le Perroquet du fils Hoquet* et, en 1967, un feuilleton en sept épisodes, *Les Compagnons de Baal*. Mais c'est bien avec lui qu'il avait réalisé en 1961 *Mon frère Jacques*, cinq heures pour la télévision belge, avec l'intervention des amis bon pied bon œil.

En 1960, mort d'Henri Crolla. «Brûle toujours le soleil d'Henri», écrit Jacques.

«Une chanson de circonstance écrite pour une exposition»

Prévert a eu beaucoup d'amis photographes : de Brassaï ou Wols, dans les années 1930, en passant par Izis, Willy Ronis, Emile Savitry, et jusqu'à André Villers ou à Robert Doisneau, l'un de ses derniers complices, qui s'est

Ecrivant sur la peinture de Fromanger, Prévert raconte qu'un jour son atelier brûla... «Mais dans le gris de ses cendres, en s'en allant, le feu avait laissé une petite lueur pourpre. Cette petite lueur pourpre éclaire les dernières toiles de Gérard Fromanger.» Ci-dessous, un *Portrait de Prévert* par Fromanger. Pour chacun de ses amis, Giacometti ou Léger, Mayo, Georges Malkine ou Marcel Jean, il aura le regard complice, le mot qui fait mouche, la formule alchimique du poète inspiré.

beaucoup promené avec lui dans Paris. Il appréciait leur compagnie, les photographes étant par définition des contemplatifs comme il l'était lui-même, réagissant activement aux chocs visuels. Certains ont fixé dans leur objectif et «sous toutes les coutures» cet homme à l'éternelle cigarette. Lui, il préfaçait leurs recueils, tout comme les catalogues des expositions de ses amis peintres.

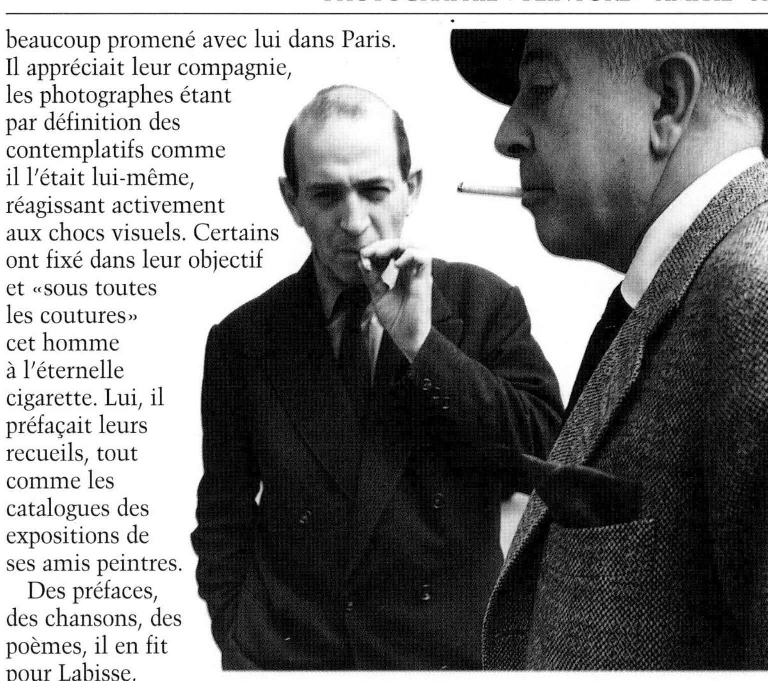

Des préfaces, des chansons, des poèmes, il en fit pour Labisse, Brassaï, Vasarely, Charbonnier, Jean Effel; pour Mayo créateur de costumes mais aussi peintre (au passage, il égratigne Paulhan «qui vend des pots de fleurs à Tarbes»), Jorn, Morvan, Victor Bauer; pour Léger, Magritte, Pougny, Topor, Marcel Jean, Luc Simon, d'autres encore.

Ses textes sont des analyses (au sens chimique), dévoilant le sens profond des toiles qu'ils évoquent. Chez Maeght, chez Mourlot, dans des imprimeries où le tirage était à la fois une science exacte et un art, parurent des titres désormais recherchés par les bibliophiles.

Henri Crolla, enfant, jouait de la mandoline porte d'Italie. Plus tard, Prévert aimera lire ses poèmes, dans sa diction monocorde et hachée, accompagné par la guitare de Crolla, qui mit en musique la mémorable «Sanguine».

Prévert, qui préférait n'apparaître qu'à travers ses personnages incarnés par Gabin, Brasseur, Arletty, aimait cependant prendre la pose pour le photographe comme dans la figure emblématique de Gilles Erhmann (à gauche, en haut), mythique grand dieu Pan de la «Provence noire».

Miró, Picasso, Ernst

Dans la revue *Derrière le miroir*, éditée par la galerie Maeght, en 1956, il écrit «Le Miroir de Miró», une longue promenade dans le monde de Miró, dans une enfance «éblouie», dans un rêve «lucide et fou», dans un mélange de la vie et de la peinture.

En 1959, tandis que le magazine *Elle* publie cinq chapitres de ses «Mémoires», Prévert participe à un *Portrait de Picasso*. A partir de photographies du peintre par André Villers, il pose quelques questions clés sur ce que représente au juste un portrait, sur les rapports entre l'homme et l'œuvre et sur la reproduction : pourquoi ce tabou de l'original? Un texte essentiel.

Il avait beau dire «Je ne suis pas athée, je suis païen», ou faire l'indifférent, ce diable de poète ne put jamais résister au plaisir du burlesque sacrilège, des sarcasmes anticléricaux (croquis, page de droite).

Il écrit de longues préfaces-poèmes pour des albums de photographies : *Couleurs de Paris* de Peter Cornelius (1961), *Les Halles* de Romain Urhausen (1963).

Les chiens ont soif (1964), avec vingt-neuf lithographies en couleurs de Max Ernst, brouillera les cartes : il s'agit plutôt des oiseaux, qui, à travers des jeux de mots en cascade, se plaignent des hommes devant un tribunal imaginaire où God = Dog; l'alouette, «oiseau de Juliette et Roméo», les réconcilie au nom de l'amour.

«Il n'y a que dans ce qu'a écrit Prévert que je me retrouve», disait Picasso, renvoyant la balle à «son ami, son copain» (ci-dessus). En 1961, Prévert salue les 80 ans du peintre : «Et ta vie se conjugue / allant droit à l'an vert / au futur antérieur / au passé infini.» Parallèles, leurs chemins ne se séparèrent jamais.

«Histoires» (1963)

En 1963, René Bertelé publie, sous le titre *Histoires et d'autres histoires*, les textes de Prévert parus en 1946 dans le livre commun avec Verdet et Mayo, encadrés par quarante nouveaux venus et comportant «C'est à Saint-Paul-de-Vence que j'ai connu André Verdet», ainsi que des extraits de livres illustrés tels que *Grand Bal du printemps*, *Charmes de Londres*, *Contes pour enfants pas sages*.

Aux écrits des années 1940, de la même inspiration que *Paroles*, il ajoute des textes politiques, des chansons, dont plusieurs interprétées par Agnès Capri depuis 1936, ainsi qu'une promenade historique et contestataire, «Encore une fois sur le fleuve ou les ponts de Paris», qui, sur une partition de Joseph Kosma, avait été diffusée à la radio en 1947.

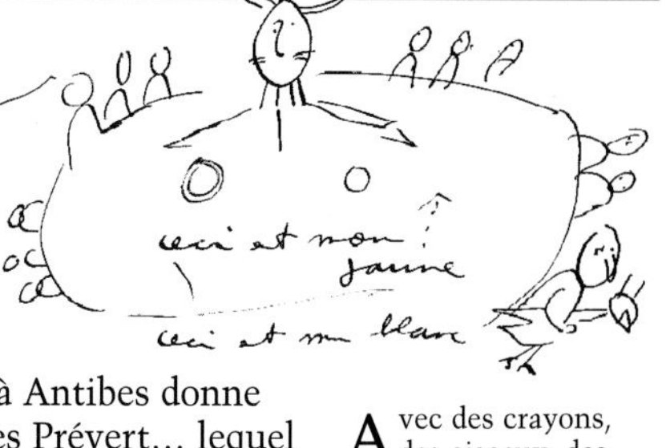

Avec des ciseaux, de la colle et du papier

En août 1963, le château Grimaldi à Antibes donne à voir cent douze collages de Jacques Prévert... lequel a décidément ajouté une nouvelle corde à son arc.

La galerie Maeght avait déjà consacré, en 1957, une exposition à une soixantaine de ses œuvres. Dans la préface du catalogue, René Bertelé écrivait que, dès les années 1940, «sur sa table couverte de pages manuscrites, de dessins, d'innombrables objets faits pour écrire ou crayonner en noir et en couleur, il y avait aussi des images découpées, prêtes pour un éventuel montage». Mais sans doute Prévert coupait et collait depuis longtemps déjà, sans se laisser intimider par le précédent des collages cubistes ou des photomontages allemands.

Avec des crayons, des ciseaux, des journaux à découper, Prévert était aux anges. Dans sa jeunesse, avec Tanguy, il avait officié à l'*Argus de la presse* : «J'étais donc habitué, bien avant que l'on parle ou écrive de moi, à ce qu'on appelle des coupures de presse.» Découpant mille et une images pour en faire d'autres, il propose des collages pleins de malice, de poésie.

Paris regarde Rome, l'animal contemple l'homme...

Virtuose du genre, Max Ernst avait expliqué que «si ce sont les plumes qui font le plumage, ce n'est pas la colle qui fait le collage», mais bien la rencontre «fortuite», ou plutôt inattendue et dûment provoquée, entre deux choses, ou plusieurs, que la réalité n'a pas coutume de mettre ensemble. Bertelé remarque que découpage et montage, mamelles du cinéma «premier métier» de Prévert, fournissent les armes stylistiques de ces collages expressifs. «Ils expriment les mêmes thèmes que son œuvre écrite, obéissent aux mêmes lois et aux mêmes intentions que ses poèmes», inventaires farfelus, associations d'idées imprévues et subversives, goût de l'insolite et de la liberté.

De la *dolce vita* d'une fontaine romaine (à gauche) au monde ahurissant des toits de Notre-Dame (ci-contre), de la sanglante «Belle à la batte» au «Règne animal» (pages suivantes), Prévert persiste et signe : aucune transcendance ne peut résoudre le mystère du monde.

Jacques, à l'aise dans ce monde onirique comme un poisson dans son bocal, ne se bornera pas à des juxtapositions purement esthétiques : ses images font choc, caricaturant cruellement notre société, ses conformismes et ses idées reçues.

Pour Chagall, Braque et Ribemont-Dessaignes

Dans *Le Cirque d'Izis* (1965), Prévert exprime un hommage au cirque, appuyé sur des photographies d'Izis et sur quatre peintures de Chagall. Un dialogue entre le clown et M. Loyal lui permet de régler leur compte aux règles du spectacle classique, préférant «les éclats de rire des enfants».

La mer, les barques et les oiseaux de Braque donnent *Varengeville* (1968), éloge encore de la reproduction, qui permet à tout un chacun d'accéder au plaisir de connaître : «Bien plus proche de cette peinture que nombre de touristes culturels au garde-à-vous du connaisseur devant les best-sellers du Grand Art.»

Arbres (1968) accompagne des dessins gravés en 1955 par Georges Ribemont-Dessaignes. Les poèmes de Jacques, où les arbres sont tenus pour des êtres vivants, ne sont guère optimistes sur la sagesse des hommes – à moins qu'ils ne sachent demeurer des enfants.

«Fatras» (1966)

Les *Cahiers G.L.M.* avaient publié en 1964 des «Fatrasies». Le mot n'est pas synonyme de fouillis, mais désigne un genre poétique médiéval des XIIIe et XIVe siècles où, dans une forme de versification d'apparence fantaisiste mais en réalité rigoureuse, alternaient poèmes, commentaires, citations.

Prévert en reprend l'idée pour *Fatras*, un recueil où cinquante-sept collages dont il est l'auteur se mêlent à des extraits de journaux, fragments d'interviews et préfaces d'expositions. Il y ajoute aussi des textes qu'il

En 1966, *Fatras* livre une association d'images et de textes. Autoportrait? Sur le collage de la couverture (ci-dessous), un être mi-animal mi-humain, assis, la plume à la main, au bord d'une fenêtre, semble inviter le lecteur à rentrer.

Au début des années 1920, Miró et André Masson avaient partagé, rue Blomet, un atelier que fréquentait Prévert. Sur la terrasse de la Colombe d'or, à Saint-Paul-de-Vence, côté jardin, Miró et Chagall sourient à Prévert.

a écrits pour accompagner, dans des ouvrages plus luxueux, des peintures de Miró («Adonides»), de Picasso («Diurnes»), de Ernst («Les chiens ont soif»).

Jouant avec la liberté comme il joue avec les mots, le poète ouvre ses pages aux animaux – «Il n'y a pas de chats policiers», ou encore «Je ne suis plus mon maître, donc je suis mon maître» –, aux amis disparus – Boris Vian, Paul Roux –, à la femme et à l'enfant aimées.

«De la soupe populaire à l'asile d'indigents», titre *Arts*. Au contraire, dans *Le Monde*, Jacqueline Piatier résume : «C'est un beau recueil, *Fatras*, libre, dégagé, enchanté, malgré ses cris d'acrimonie. Un livre de vivant qui voit très bien la mort en face... Il n'y a pas de simplisme chez Prévert, de la simplification sans doute, mais par-dessus tout une subtile et rayonnante simplicité.»

Braque habitait Varengeville, non loin de La Hague. La simplicité descriptive du peintre des marines rejoint les «inventaires» de Prévert : tout un art d'énonciation. «Il y a toujours dans un coin de l'atelier une petite toile toute fraîche. La mer, les oiseaux, la peinture, la vie.»

Du rosé de Provence au calvados normand

En 1966, Prévert célèbre par des poèmes-hommages quelques amis peintres : Giacometti, De Maria, Malkine; pour Henri Michaux : «Seulement et simplement l'heureux sourire d'une vieille et lucide amitié» («Rencontre»). Le 28 septembre, André Breton meurt à l'hôpital Lariboisière. Jacques lui fait une dernière visite.

Ceci n'est pas un décor (de Trauner), mais bien Saint-Paul-de-Vence, côté ville. Finalement, les deux amis, infidèles, lui préféreront un coin de Normandie moins fréquenté («C'est quand il n'y a pas grand monde / qu'il y a grand-chose»).

Albert Skira publie en 1970 *Imaginaires*, une déconstruction du vocabulaire, une perversion des images par d'iconoclastes collages. L'auteur ne croit pas plus en l'homme créateur qu'il ne croit en Dieu : pour lui, tout préexiste et va se transformant.

Puis en 1971, les Prévert achètent une maison à Omonville-la-Petite, près de La Hague, dans la Manche. C'est Trauner qui leur a conseillé ce coin de Normandie où il a lui-même une résidence... avant que les déchets atomiques n'y soient en pays conquis. Jacques préface un livre du peintre Fromanger et signe *Fêtes*, qui contient sept eaux-fortes de Calder, cet

Imaginaires (à droite), un patchwork où se chevauchent avec malice de sentencieuses bêtises retournées à leur corps défendant, des réactions à chaud aux actualités politiques, poèmes, fausses naïvetés prenant la poudre d'escampette devant les canons de la Création : «Figurez-vous la figure d'un homme dépaysé devant un paysage non figuratif»!

artisan forgeron dont les Mobiles et les Stabiles lui semblent si libres, si souriants : «Ciseleur du fer / Horloger du vent / [...] Sculpteur du temps / Tel est Calder / Je ne crois pas en savoir davantage...»

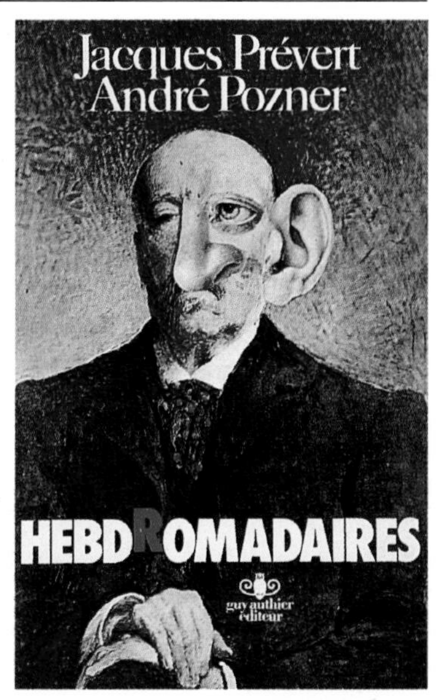

«Hebdromadaires» (1972)

En 1968, le jeune André Pozner (fils de l'écrivain progressiste Vladimir, que Prévert a connu au temps du Groupe Octobre), chargé d'obtenir une interview du poète, s'entend dire : «Je ne réponds jamais aux questionnaires. Un hebdomadaire vous envoie : et si l'on questionnait plutôt la presse?» Prévert témoin du monde encore...

Le résultat paraîtra en 1972, après un patient travail d'enregistrements, de frappes successives et de brouillons maintes fois corrigés. Finalement, l'homme est là sur le vif : on peut suivre ses méandres, ses associations d'idées, les déclics de ses indignations. L'ensemble a le naturel d'un document brut.

«Mais il ne faut pas s'y tromper, commente Arnaud Laster : «La réussite d'*Hebdromadaires* réside [...] peut-être dans l'impression que le livre donne au lecteur d'accéder à la familiarité d'une conversation, dont tous ceux qui l'ont fréquenté attestent l'exceptionnel intérêt, en faisant oublier tous les efforts qu'a nécessités la mise au point du volume, la longue et complexe préparation qui y a abouti.» En 1972, André Pozner réalisera, dans le même ton, un court métrage documentaire *L'Animal en question*, sur la rencontre d'un raton laveur et de Jacques Prévert.

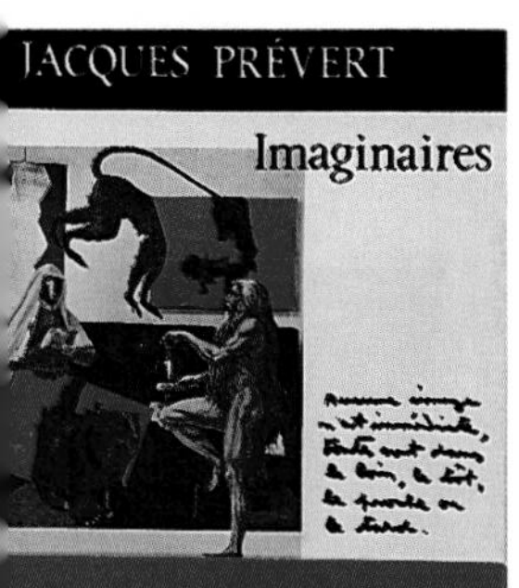

“J'ai écrit très tard. Pour le cinéma. Il y avait longtemps que je cherchais un métier. Je l'ai cherché parce que je ne pouvais pas faire autrement, il fallait bien que je fasse quelque chose! J'ai écrit des scénarios, ensuite j'ai écrit d'autres choses. C'est devenu comme ça mon métier, d'écrire. [...] C'est celui que je préfère, c'est tout. J'aime pas tellement le travail.”

Jacques Prévert

Le voilà bien, l'ultime message de cet homme de lettres : il n'aimait pas travailler. C'est sans doute pourquoi s'accumulaient les livres, les films, tant de paroles, de spectacles, de choses et autres.

«L'ennemi lyrique numéro un... Toujours ce front d'être populaire!»

Jacques a soixante-douze ans. Dernier livre pour lui et aussi pour René Bertelé, l'éditeur, qui va disparaître l'année suivante, *Choses et autres* (1972) se présente comme un chantier ouvert, à l'image de l'immense grenier où travaille Jacques, un patchwork juxtaposant poèmes inédits, réactions «à chaud» aux événements politiques (Mai 68, Angela Davis et les Frères de Soledad), commentaires/évocations de la peinture ou de la musique.

Un récit autobiographique, écrit dans une prose poétique aussi limpide que du Nerval, ouvre le recueil : «Enfance», préparé par soixante-dix feuillets manuscrits, cent pages de notes, avec la succession des épisodes en plusieurs variantes. Et l'ouvrage se

Ses dernières pages sont toujours d'une imprévisible et foisonnante richesse, avec leurs jeux sur les mots, leurs provocations tous azimuts, leurs éclats de lyrisme feutré, leur ton enjoué, amical, confidentiel. Pour marquer les rendez-vous avec ses amis, Prévert se dessine (page de droite) un calendrier floral. Mais les amis s'en vont l'un après l'autre (ci-dessous, René Bertelé). Il avait écrit : «Les années ont passé, la table est desservie, presque tous les convives sont morts et quelques-uns à la guerre, mais sur la nappe des souvenirs, pour quelques-uns encore vivants, les arlequins de la mémoire dansent le reste du temps.»

“La vie est une fleuriste / la mort un jardinier.”

“Tous les soirs / la mort m'invite à dîner / et la vie me sert à boire / et la mort se marre.”
in *Soleil de nuit*

ferme avec un autre texte importante, «La Femme acéphale», commentant la supériorité du cœur sur la raison, où l'auteur dit également «Je».

«Embauché malgré moi dans l'usine à idées / J'ai refusé de pointer / Mobilisé de même dans l'armée des idées / J'ai déserté.» Voilà qui est clair : aucune inféodation, ni pour l'idéologie dominante ni pour un parti de combat. «Il y a autre chose», souligne-t-il. Est-ce un testament?

Les poètes saluent. Marc Alyn, dans *Le Figaro*, parle de «l'ennemi lyrique numéro un... Toujours ce front d'être populaire!»; André Laude résume Prévert en trois mots : révolte, amour, merveille.

La vie/la mort et vice-versa

En juillet 1973 meurt René Bertelé, alors qu'un texte de lui va préfacer l'édition de quarante-huit collages, *Images de Jacques Prévert*.

Sa fille Michèle épouse Hugues Bachelot; la petite Eugénie naît l'année suivante : le grand bal du printemps continue.

Puis Picasso disparaît en 1974. «L'antenne est à Jacques Prévert», une émission d'Arnaud Laster, fait entendre, pour la dernière fois en direct, la voix chaude et précipitée du poète.

Jacques écrit deux textes pour une maternelle de la Vienne, premier établissement scolaire à porter son nom : ils n'infantilisent ni ne bêtifient, contestant toujours le conformisme et l'endoctrinement. Ses poèmes vont littéralement envahir les écoles.

Jacques Prévert s'éteint le 11 avril 1977, d'un cancer du poumon. Mais «le jardin reste ouvert pour ceux qui l'ont aimé».

TÉMOIGNAGES ET DOCUMENTS

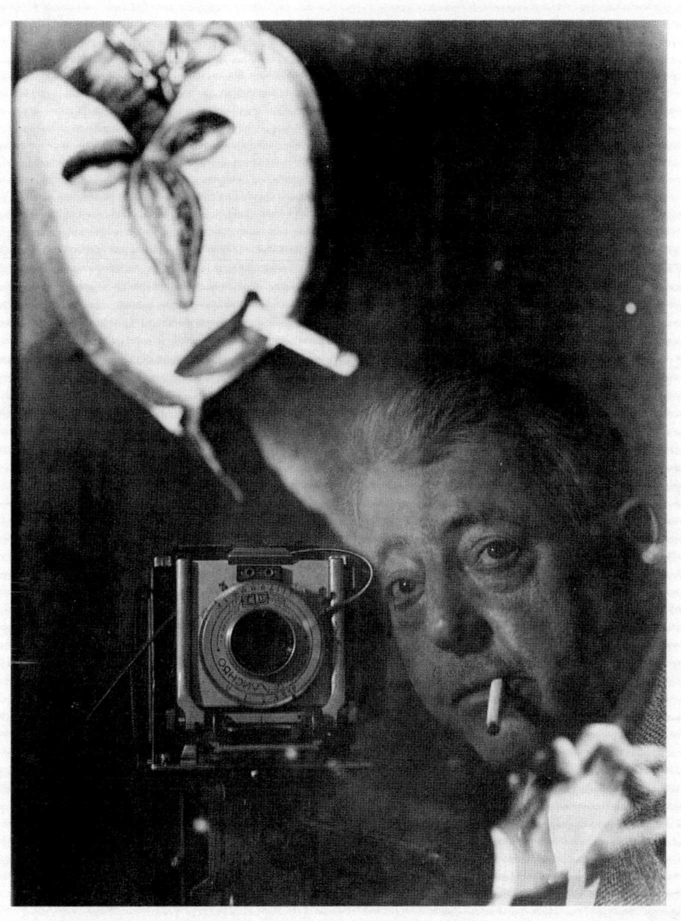

Sauf mention contraire, les textes de Prévert ici cités sont extraits de ses *Œuvres complètes* dans la Bibliothèque de la Pléiade, édition présentée, établie et annotée par Danièle Gasiglia-Laster et Arnaud Laster.

Un guignol rouge et noir

Doué d'un verbe extravagant au service d'une invention sans limites, Jacques Prévert a rôdé ses effets sur les copains de la rue du Château avant de fasciner ceux du Groupe Octobre. Dans une inspiration sans solution de continuité, contre les mêmes et avec les mêmes, toujours.

Le dessinateur Maurice Henry croque le poète et quelques-uns de ses personnages, «debout devant le zinc»…

Il avait séduit d'emblée, dès 1931, les premiers lecteurs du «Dîner de têtes» (Georges Ribemont-Dessaignes, Saint-John Perse). Comment ne pas voir le ton, le style?

«Tentative de description d'un dîner de têtes à Paris-France»

Ceux qui pieusement…
Ceux qui copieusement…
Ceux qui tricolorent
Ceux qui inaugurent
Ceux qui croient
Ceux qui croient croire
Ceux qui croa-croa
Ceux qui ont des plumes
Ceux qui grignotent
Ceux qui andromaquent
Ceux qui dreadnoughtent
Ceux qui majusculent
Ceux qui chantent en mesure
Ceux qui brossent à reluire
Ceux qui ont du ventre
Ceux qui baissent les yeux
Ceux qui savent découper le poulet
Ceux qui sont chauves à l'intérieur
de la tête
Ceux qui bénissent les meutes
Ceux qui font les honneurs du pied
Ceux qui debout les morts
Ceux qui baïonnette… on.
Ceux qui donnent des canons aux enfants
Ceux qui donnent des enfants aux canons
Ceux qui flottent et ne sombrent pas
Ceux qui ne prennent pas
le Pirée pour un homme
Ceux que leurs ailes de
géants empêchent de voler
Ceux qui plantent en rêve des
tessons de bouteille sur la grande
muraille de Chine
Ceux qui mettent un loup sur leur visage
quand ils mangent du mouton
Ceux qui volent des œufs et qui n'osent
pas les faire cuire

Ceux qui ont quatre mille huit cent dix
mètres de Mont Blanc, trois cents
de Tour Eiffel, vingt-cinq centimètres
de tour de poitrine et qui en sont fiers
Ceux qui mamellent de la France
Ceux qui courent, volent et nous vengent,
tous ceux-là, et beaucoup d'autres
entraient fièrement à l'Elysée en
faisant craquer les graviers, tous ceux-là se bousculaient, se dépêchaient,
car il y avait un grand dîner de têtes
et chacun s'était fait celle qu'il voulait.

En route pour l'Agit-Prop

Mais l'écriture est une bouteille à la mer, pour un public invisible et muet. Tandis que le théâtre, surtout s'il préfère aux salles traditionnelles les parades sur des tréteaux, reste le meilleur moyen pour parler directement à l'oreille et aux yeux. D'autant qu'y grossir le trait jusqu'à la marionnette, à la caricature, reste dans les règles du jeu : Aristophane, Jarry…

Aussi ce libertaire qui se voyait mal en «auteur» va-t-il volontiers donner des textes pour des numéros d'acteurs, des sketches, pochades, saynètes : tout un répertoire destiné à des camarades politiquement «engagés». A eux de mesurer sur le vif, devant des spectateurs «avertis» mais complices, les effets de ces brûlots mi-révoltés mi-burlesques. Il s'agit d'abord de commenter l'actualité, par exemple dans «Vive la presse» :

Attention, camarades, attention
Mourir pour la patrie, c'est mourir
pour Renault
Pour Renault, pour le pape, pour Chiappe
Pour les marchands de viande,
Pour les marchands de canon…
Ici les enfants jouent avec la tuberculose
dans le ruisseau…
Le travail est dur, mal payé, très dur,
très mal payé
Et quand vous sortez dans la rue,
la rue n'est pas à vous,
La rue est aux flics,
La rue est aux curés…

«La Bataille de Fontenoy»

En 1932, Jacques Prévert écrit «La Bataille de Fontenoy», qui sera jouée jusqu'en 1936. «Ironie un peu trop négative», dit la gauche officielle, et la droite : «Des plaisanteries les plus abominables.» Pierre-Aymé Touchard l'attaque : «Aveuglement par la haine»; Paul Nizan la défend; Pierre Lazareff reste prudent : «Œuvre riche de substance mais assez curieuse dans sa forme, dans laquelle apparaissent les plus illustres de nos hommes politiques contemporains sous des aspects pour le moins imprévus.»

Après le voyage du Groupe Octobre à Moscou, l'auteur supprima un chœur parlé final, qui disait notamment : «En Russie seulement les travailleurs ont la paix! Vous n'empêcherez pas le drapeau rouge de flotter.» Mais en dehors de «la ligne» quelle verve!

POINCARÉ

Reprenant encore son discours.

… Soldats tombés à Fontenoy, le soleil d'Austerlitz vous contemple… A la guerre comme à la guerre! Un militaire de perdu, dix de retrouvés!! Il faut des civils pour faire des militaires!!! Avec un civil vivant on fait un soldat mort!!!! Et pour les soldats morts on fait des monuments!!!!! Des monuments aux morts!

L'OUVREUSE, *l'interrompant.*
Le général Weygand.
Le général Weygand entre en scène et annonce deux nouveaux spectateurs.
WEYGAND
Ces Messieurs du Comité des Forges.
Les nouveaux spectateurs se présentent.
KRUPP
Herr Krupp.
SCHNEIDER
Monsieur Schneider.
POINCARÉ
Messieurs du Comité de Forges, c'est à force de forger qu'on devient forgeron, c'est à force de ceinturer qu'on devient ceinturon…
LE PUBLIC, *au comble de l'enthousiasme.*
Des canons! Des munitions!
Des canons! Des munitions!
Un flic, le doigt aux lèvres, tempère leur ardeur.
LE FLIC
Taisez-vous. Méfiez-vous. Les oreilles ennemies vous écoutent.

Camarades…

Après 1936, le Groupe Octobre meurt de sa belle mort. Prévert publie «La Crosse en l'air», poème provocateur, anticlérical, révolutionnaire. Dans cette histoire s'emboîtent des épisodes, des rencontres, des allusions à l'actualité, d'un veilleur de nuit brandissant, tel Diogène, sa lanterne pour y voir plus clair. Contre les amis de Mussolini comme Jacques de Lacretelle (Job de la Bretelle), Charles Maurras ou Henri Béraud; pour les camarades :

Il veut parler
il veut crier hurler gueuler
gueuler
mais ce n'est pas pour lui tout seul qu'il veut gueuler c'est pour ses camarades du monde entier
pour ses camarades charpentiers en fer qui fabriquent les maisons de la porte Champerret pour ses camarades cimentiers… ses camarades égoutiers… camarades surmenés… camarades pêcheurs de Douarnenez… camarades exploités… camarades de la T.C.R.P… camarades mal payés… camarades vidangeurs… camarades humiliés… camarades chinois des rizières de Chine… camarades affamés… camarades paysans du Danube… camarades torturés… camarades de Belleville… de Grenelle et de Mexico…

Morale et religion

Anticléricalisme et antimilitarisme sont les deux sources de la morale et de la religion du petit Prévert illustré. Si, dans «Le Combat avec l'ange», il conseillait en 1939 à son ami Brunius, mobilisé, d'éviter un pugilat perdu d'avance…

N'y va pas
tout est combiné d'avance
le match est truqué
et quand il apparaîtra sur le ring
environné d'éclairs de magnésium
ils entonneront à tue-tête le *Te Deum*
et avant même que tu te sois levé de
ta chaise
ils te sonneront les cloches à toute volée
ils te jetteront à la figure
l'éponge sacrée
et tu n'auras pas le temps de lui voler
dans les plumes
ils se jetteront sur toi
et il te frappera au-dessous de la ceinture
et tu t'écrouleras
les bras stupidement en croix
dans la sciure
et jamais plus tu ne pourras faire l'amour.

… il ne manque jamais, quant à lui, de marquer ses distances et de nourrir la polémique, jusque dans une version très particulière du «Pater Noster».

Notre Père qui êtes aux cieux
Restez-y
Et nous nous resterons sur la terre
Qui est quelquefois si jolie
Avec ses mystères de New York
Et puis ses mystères de Paris
Qui valent bien celui de
la Trinité
Avec son petit canal de l'Ourcq
Sa grande muraille de Chine
Sa rivière de Morlaix
Ses bêtises de Cambrai
Avec son Océan Pacifique
Et ses deux bassins aux Tuileries
Avec ses bons enfants et
ses mauvais sujets
Avec toutes les merveilles du monde
Qui sont là
Simplement sur la terre
Offertes à tout le monde
Eparpillées
Emerveillées elles-mêmes d'être
de telles merveilles
Et qui n'osent se l'avouer
Comme une jolie fille nue qui n'ose
se montrer
Avec les épouvantables malheurs
du monde
Qui sont légion
Avec leurs légionnaires
Avec leurs tortionnaires
Avec les maîtres de ce monde
Les maîtres avec leurs prêtres
leurs traîtres et leurs reîtres
Avec les saisons
Avec les années
Avec les jolies filles et avec
les vieux cons
Avec la paille de la misère
pourrissant dans l'acier
des canons.

L'armée, souvent attaquée de front dans les textes du Groupe Octobre, restera une de ses cibles de prédilection. Comme dans «Quartier libre» :

J'ai mis mon képi dans la cage
et je suis sorti avec l'oiseau sur la tête
Alors
on ne salue plus
a demandé le commandant
Non
on ne salue plus
a répondu l'oiseau
Ah bon
excusez-moi je croyais qu'on saluait
a dit le commandant
Vous êtes tout excusé tout le monde
peut se tromper
a dit l'oiseau.

«Et la fête continue»

Il est contre, contre l'ordre social, la résignation chrétienne, dans une révolte d'instinct, plus spontanée que «politique», pour une totale libération de l'individu. Sursaut indigné, véhément, mais qui peut s'exprimer aussi avec le sourire et se mettre en chanson.

Debout devant le zinc
Sur le coup de dix heures
Un grand plombier zingueur
Habillé en dimanche et pourtant
c'est lundi
Chante pour lui tout seul
Chante que c'est jeudi
Qu'il n'ira pas en classe
Que la guerre est finie
Et le travail aussi
Que la vie est si belle
Et les filles si jolies
Et titubant devant le zinc
Mais guidé par son fil à plomb
Il s'arrête pile devant le patron
Trois paysans passeront et vous paieront
Puis disparaît dans le soleil
Sans régler les consommations
Disparaît dans le soleil
tout en continuant sa chanson.

Paroles, 1944

L'alchimie des mots

Si Prévert joue avec les mots, et les laisse jouer entre eux, c'est qu'il cherche leurs résonances intérieures, la scansion de comptine que donnent les correspondances entre certaines consonnes, les rappels de sons feutrés, courants en allemand, par exemple, ou en arabe, mais inhabituels chez les artisans, et même les orfèvres, de la langue française.

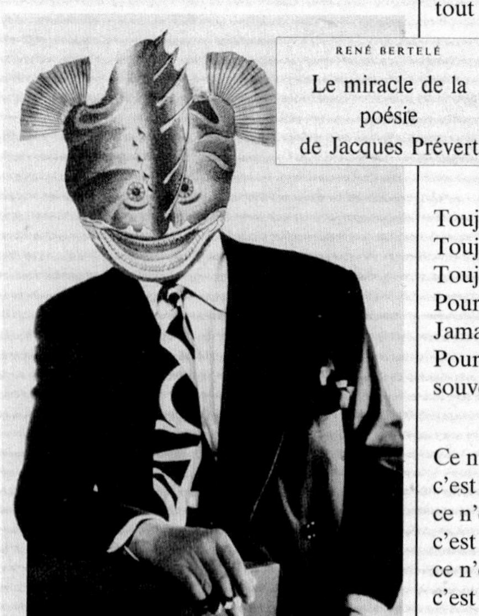

Le rythme des ritournelles

On saisit sur le vif le passage de la conversation au texte, de la prose à la poésie. Ce ne sont pas seulement des techniques de grand rhétoriqueur, des démonstrations littéraires, et littérales, de virtuosité gratuite : Prévert veut retrouver le rythme des ritournelles, qui s'imprime en mémoire sans qu'on s'en aperçoive, par la seule vertu de la musique et du temps. D'où certains vers «rationnellement» inexplicables, qui relèvent du langage simple de l'enfance, des évidences comme : «La vie est une cerise / La mort est un noyau / L'amour est un cerisier.» Sa recherche va vers l'expression la plus courante, le mot le moins rare :

Au coin d'la rue du Jour
et de la rue Paradis
j'ai vu passer un homme
y a que moi qui l'ai vu
j'ai vu passer un homme
tout nu en plein midi
y a que moi qui l'ai vu
pourtant c'est moi l'plus petit
les grands y savent pas voir
surtout quand c'est marrant
surtout quand c'est joli

dans *Le Grand Bal du printemps*

Toujours Il qui pleut et qui neige
Toujours Il qui fait du soleil
Toujours Il
Pourquoi pas Elle
Jamais Elle
Pourtant Elle aussi
souvent se fait belle !

dans *Spectacle*

Ce n'est pas moi qui chante
c'est les fleurs que j'ai vues
ce n'est pas moi qui ris
c'est le vin que j'ai bu
ce n'est pas moi qui pleure
c'est mon amour perdu.

dans *Adonides*

Mine de rien

Une envolée lyrique tourne parfois au récitatif faussement prosaïque, scandé seulement par les trouvailles de rythmes ou d'allitérations intérieurs : «Algues du terrain vague / couvrez-le doucement», ou «Le temps passait / Le Temps dansait / de temps en temps / Toi tu dansais tout le temps.» Ou encore : «Place du Carrousel», qui décrit un cheval au pied arraché et s'achève sur :

Oh
jardins perdus
fontaines oubliées
prairies ensoleillées
oh douleur
splendeur et mystère de l'adversité
sang et lueurs
beauté frappée
Fraternité.

La Fontaine Fils?

Le français, sans accents toniques ni sonorités d'appui, qui privilégie les voyelles et ouate l'articulation des mots dans un flou… féminin, est rarement travaillé dans ce sens; en poésie, la mnémotechnique réside d'ordinaire dans la seule rime finale et dans la répétition des pulsations fortes aux mêmes moments (octosyllabes… alexandrins…). Même s'il préfère l'impair à la Verlaine, notre langage poétique reste circonscrit dans un registre encore plus limité que les tons et les modes du clavecin bien tempéré. Comme les musiciens dodécaphonistes, Prévert ne cherche aucunement à supprimer toutes les règles traditionnelles mais, élargissant le champ des possibilités, à en suivre d'autres plus complexes encore, mystérieuses. Sans doute reposent-elles sur la pratique, plutôt que sur la théorie, d'incessantes expérimentations, d'essais verbaux de la conversation, d'où se dégagent des solutions meilleures que d'autres, des formules inédites dont l'auteur attend qu'elles fassent leurs preuves, c'est-à-dire qu'on les retienne.

Avec un fort coefficient de réussite, puisqu'on voit Prévert succéder pratiquement à La Fontaine dans les mémoires juvéniles. Il ne s'agit pas, il faut le redire, de «mots d'auteur» mais d'une recherche identique à celle des classiques. Quand Bossuet disait : «Restait la redoutable infanterie du roi d'Espagne», Racine : «Dans l'Orient désert quel devint mon ennui», c'était assembler des mots de façon durable, de par leur sens, mais aussi à cause de leurs sons. De même, Prévert – «Il dit non avec la tête / mais il dit oui avec le cœur / il dit oui à ce qu'il aime / il dit non au professeur» – recherche, atteint, une euphémique (et mémorable) simplicité.

«Suivez le guide!»

Parfois, le poète joue sur les mots avec des interactions quasi philosophiques, comme dans «Suivez le guide !» (dans «Fatras») :

LE GUIDE

Suivez le guide !

UN TOURISTE

Je suis le guide.

SON CHIEN

Je suis mon maître.

«Prévert, le poète best-seller, offre aux 240 000 amoureux de Barbara la pluie et le beau temps.»

UNE JOLIE FEMME

Je suis le guide. Donc je ne suis pas une femme, puisque je suis un homme.

LE TOURISTE

Je suis cette jolie femme.

SON CHIEN

Et moi aussi, je suis cette femme, puisque je suis mon maître.

LE GUIDE

Suivez le guide. Moi, je ne suis pas le guide, puisque je suis le guide.

LE TOURISTE

Je voudrais bien savoir qui est cette jolie femme que je suis.

SON CHIEN

Je ne suis pas mon maître, puisque je suis mon maître et que cela m'ennuie.

LA JOLIE FEMME

Je suis le guide, je suis la foule, je suis un régime, je suis la mode, je ne suis plus une enfant… Oh ! J'en ai assez ! Je ne suis plus personne.

Elle disparaît.

LE GUIDE

Oh! J'en ai assez ! Je démissionne.

Il disparaît.

LE TOURISTE

Oh! Je ne suis plus le guide, je ne suis plus un homme, je ne suis plus une femme, je ne suis plus rien.

Il disparaît.

LE CHIEN

Enfin! Je ne suis plus mon maître, donc je suis mon maître et je ne visiterai pas les châteaux de la Loire!

Quand «mourrir» prend deux «r»

Ailleurs, le propos semble être purement musical, s'évadant vers le non-sens à l'anglaise, comme dans cet extrait de «Petite Vie des Césars», texte écrit en 1931 pour le film «Baleydier» et repris en 1934 à l'intention du Groupe Octobre :

L'ENFANT

grave, enlevant la poussière de ses pieds.

Tout un pâté de maisons
brûle à l'horizon.

Entrent un a un les réfugiés portant des bagages annoncés par le texte.

LE CHŒUR

Tout un pâté de maisons.

PREMIER RÉFUGIÉ ADULTE

Tout un pâté d'alouettes.

DEUXIÈME RÉFUGIÉ ADULTE

Tout un paquet d'allumettes.

TROISIÈME RÉFUGIÉ ADULTE

Tout un pâté de brouettes.

QUATRIÈME RÉFUGIÉ ADULTE

Tout un brouet d'amulettes.

CINQUIÈME RÉFUGIÉ ENFANT

Tout un tas de thons qui tètent.

SIXIÈME RÉFUGIÉ ADULTE
Tout un paquet de gillettes.
SEPTIÈME RÉFUGIÉ ADULTE
Tout un gilet de pâté.
HUITIÈME RÉFUGIÉ CUISINIER
Tout un pâté de gâché.
Il va pour se tuer.
LES DANSEUSES
Compère guilleri
Le laisseras-tu mourir.
CÉSAR, *rectifiant, roulant les r.*
Mourrir deux r.

Prodige et prolixe, cependant il exige

Mais toujours, au contraire de ce que laisserait croire la lecture hâtive, l'auteur reprend, retouche, peaufine. Cet inépuisable monologueur, cet improvisateur d'abondance, ce virtuose du fil de la plume, qui n'accepta qu'avec réticence de voir ses textes publiés, prodiguant ses poèmes, ses sketches, ses dialogues de films, ses chansons et ses à-peu-près de tous ordres au point de préférer les réécrire plutôt que d'établir des doubles et de veiller sur sa production – tel Rossini choisissant de refaire une autre mélodie au lieu de se lever de son lit pour ramasser la partition qui en avait glissé –, ce fils prodigue et prolixe fut aussi, en même temps, un écrivain fort attentif au moindre mot choisi, pour le fond, au rythme et à la cadence de ses phrases, dans la forme, un auteur à part entière, coutumier des corrections, des variantes et des repentirs.

Comme l'organiste «improvisant» sur des thèmes de Bach après l'avoir interprété pendant quarante ans, ou le jazzman «improvisant» son solo pour la millième fois.

La parole de Jacques Prévert était un brouillon, un essai remis sur le métier jusqu'à son tempo juste, son sens plein; l'écriture donnait l'impression de «premier jet» mais… peut-être – car ce n'était pas non plus le cas toujours – ce résultat magique était-il obtenu après bien des tâtonnements. Secrets de fabrication…

Secrets d'inspiration. Les quelques pages de «Enfance» sont préparées par soixante-dix feuillets de notes, cent d'ébauches de thèmes et de plans.

Premier texte (dans «Elle») en 1959; variantes dans «Mon frère Jacques», le film de Pierre Prévert en 1961; nouvelle version dans Choses et autres en 1972.

«Ses poèmes comme ses proses, dit l'éditeur Arnaud Laster, passent pour spontanées, voire faciles, alors que, chaque fois que l'on en connaît un état antérieur, on s'aperçoit qu'il a fait l'objet de corrections minutieuses.» Script et secrétaire, Jeanne Witta-Montrobert («La Lanterne magique», Calmann-Lévy, 1980), fait état, dans un témoignage de première main, de «l'extrême rigueur de Jacques qui à ses débuts étonnait ses amis par la volubilité de son langage et l'abondance de ses écrits et qui, avançant en âge, devint de plus en plus exigeant vis-à-vis de lui-même. Sur le tard de sa vie, il rédigeait cinquante pages qu'il ramassait en vingt, cherchant la quintessence de sa pensée dans l'écriture».

Les plus que parfaits de l'objectif

«Il aimait beaucoup les photographes. Il n'était pas leur biographe, mais il leur apportait une aura poétique. Il a toujours su regarder leurs œuvres dans leur lumière, à une époque où la photographie était un langage assez secret et les photographes des autodidactes solitaires. Jacques Prévert […] était un homme de cœur, une figure particulière, comme celle des tarots.»

Gilles Ehrmann

Robert Doisneau

Robert Doisneau (pp. 78, 85 et 97) fut le compère avec lequel Prévert s'est beaucoup promené dans Paris. Sa modestie amusée correspondait à la sensibilité du poète, qui lui appliqua une belle formule en 1957 : «C'est toujours à l'imparfait de l'objectif qu'il conjugue le verbe photographier.»

Alexandre Trauner

Alexandre Trauner (pp. 5, 40, 50-51, 70, 77, 94 et 96) a commencé avec des photos de repérages en vue de ses décors («architecture imaginaire / de rêves de plâtre, de lumière et de vent»), puis il a saisi des personnages, poussé jusqu'au portrait. Son reportage sur Dublin a été exposé. Sur Jacques – «C'était mon frère, je lui dois la vie…» –, ses archives sont inépuisables.

Brassaï

Brassaï a raconté qu'un jour de 1930, Georges Ribemont-Dessaignes, animateur de la revue *Bifur,* lui tendit un manuscrit intitulé : *Souvenirs de famille ou l'ange garde-chiourme*. «Lisez ça, me dit-il, et retenez bien le nom de son auteur. Il apporte un son neuf dans la poésie française…» Brassaï retint le nom de Jacques Prévert. Il le photographia certes, mais collabora aussi aux décors du ballet «Le Rendez-vous» et, surtout, fournit le «support» de la couverture de *Paroles* (p. 61) et de nombreux collages de Prévert.

Il fallait être l'ami Trauner pour surprendre Prévert au volant d'une automobile… sous le regard bienveillant du patron de La Colombe d'or…

Avec la photographe animalière Ylla (Kamilla Koffler), Prévert signe *Des bêtes*, un regard emprunt non d'anthropomorphisme mais de panthéisme.

Izis

Izis – «un colporteur d'images… la caméra d'Izis, c'est une boîte magique» – avait passé la guerre dans les maquis du Limousin. Puis il travailla pour *Paris-Match*, publia des livres sur Paris, exposa et signa avec Prévert *Grand Bal du printemps*, *Charmes de Londres* (p. 75) et *Le Cirque d'Izis*.

Emile Savitry

Emile Savitry (pp. 39 et 64-65) était peintre. Puis, il voyagea, découvrit Django Reinhardt, devint photographe de plateau, d'actualité, de mode dans les années 1950 – on lui doit le reportage sur *Le Tableau des merveilles*, en 1936, dans le Grenier des Augustins de Jean-Louis Barrault –, avant de revenir à la peinture – «Elle lui abandonne ses richesses les plus simples, c'est-à-dire les plus secrètes».

Les regards partagés

On a pu faire en 1981 une grande exposition «Jacques Prévert et ses amis photographes», ces hommes de l'art ayant accompagné son périple. Certains l'ont saisi sur le vif, à quelque occasion : tel, en 1935, Raymond Picon-Borel (p. 37) à Saint-Cyr-l'Ecole avec le Groupe Octobre; ou posant avec Jacqueline

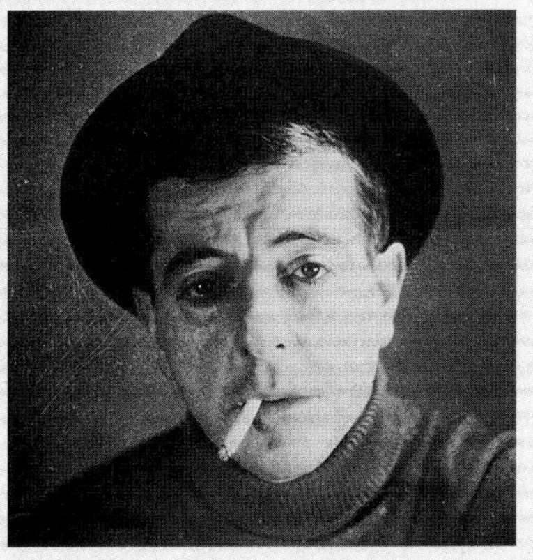

Prévert par Wols.

Laurent (1937, Wols, p. 45), à Tourette-sur-Loup (1942, Willy Ronis, p. 6), sur le tournage de *Paris la belle* (1959, Jean Lattès). Il a été photographié par Pierre Jamet, futur chanteur des Quatre Barbus; par Edouard Boubat «correspondant de paix» et beaucoup d'autres :

André Villers, «jeune équilibriste, montreur d'images oniriques, très surprenant tireur de portraits», a suivi Jacques Prévert à Saint-Paul-de-Vence et à Paris, de la terrasse du Moulin Rouge à la Fontaine des Quatre-Saisons.

«Avec vif intérêt et haute fidélité», dit Prévert, Gilles Ehrmann, auteur notamment, avec André Verdet, de *Provence noire* (p. 82), «écoute, entend et enregistre, comme un micro».

Enfantillages

Pour les petits comme pour les grands, Prévert, l'auteur-qui-ne-veut-pas-avoir-l'air-d'en-être-un, n'écrit pas à la légère. «Que voulez-vous, cela peut paraître un enfantillage, disait-il, mais j'attache autant d'importance, et même beaucoup plus, aux petites choses sans importance écrites pour les enfants qu'aux grandes choses définitives écrites pour d'importants adultes.»

Prévert s'entendait à merveille avec Ylla, qui photographiait les animaux depuis les années 1930. Et s'il menace de refuser sa signature au *Petit Lion*, en 1947, c'est uniquement pour protester contre les

coupes abusives que l'éditeur opéra dans son texte. «C'est la première fois que je vois un éditeur manier les petits ciseaux avec autant de désinvolture qu'un producteur de films quand il triture un découpage de scénario.»

Jacqueline Duhême et Jacques Prévert à Saint-Paul-de-Vence vers 1950.

Prévert préfaça la première exposition d'Elsa Henriquez en 1943 – elle avait vingt-deux ans –, et celle-ci donnera ses dessins aux *Contes pour enfants pas sages* en 1947, à *Guignol* en 1952, puis à *Pour faire le portrait d'un oiseau* et *Histoire du cheval*.

Jacqueline Duhême connut Prévert en 1948 grâce à Matisse. Ils créèrent ensemble *L'Opéra de la lune*, où, comme dans *Baladar*, un monde différent, harmonieux, est rêvé par un enfant «dans la lune».

Pour la *Lettre des îles Baladar*, André François, caricaturiste né en Roumanie en 1915, affichiste et peintre, a fait ses dessins en premier : «Il n'avait jamais de texte prêt. Il me disait : dessinez, et je dessinais. Puis il a écrit.»

Elsa Henriquez et Jacqueline Duhême illustreront encore différents poèmes de Prévert que les éditions Gallimard vont décliner dans leurs collections Folio Junior, Benjamin, Enfantimages : «En sortant de l'école», «Page d'écriture», «Le Dromadaire mécontent», etc.
Le filon ne semble pas près de s'épuiser : tant qu'il y aura des enfants, des plombiers zingueurs, des baleines aux yeux bleus. Et des ratons laveurs.

Actualités

«Paroles», plus de trois millions d'exemplaires ; record absolu, en France, pour un livre. «Les Enfants du paradis», consacré «meilleur film français du premier siècle de cinéma». Et aussi tout le reste : des textes qui accompagnent la vie, quand elle va et que les enfants rient, quand elle ne va pas, que la guerre continue à tuer les Barbara et leurs amours.

«Les Bruits de la nuit» ou l'énigme du couplet censuré

La version publiée du poème «Les Bruits de la nuit» passe directement de «Un fou sur son toit qui joue du tambour» à «J'entends aussi le rire d'une fille». Biffé en rouge sur la version tapée à la machine et marqué en marge «Supprimé», un couplet évoque la scène qu'on voudrait irréelle d'un type basané passé à tabac par deux messieurs en uniforme.

Vous dormez sur vos deux oreilles
comme on dit
Moi je me promène et je veille
dans la nuit

Je vois des ombres j'entends les cris
drôles de cris

l

C'est un chien qui hurle à la mort
C'est un chat qui miaule l'amour
un ivrogne perdu dans un corridor
un fou sur son toit qui joue du tambour

Vous dormez sur vos deux oreilles
comme on dit
Moi je me promène et je veille
dans la nuit.

ll

Et j'entends les cris d'un sidi
enfermé au poste de police
Cinq ou six agents en bras de chemise
Sans trop se presser s'acharnent sur lui.

Vous dormez sur vos deux oreilles
comme on dit
Moi je me promène et je veille
dans la nuit

lll

J'entends aussi le rire d'une fille
qui pour satisfaire le client
simule la joie.. simule le plaisir
et sur le lit se renverse en hurlant

Vous dormez sur vos deux oreilles
comme on dit
Mais soudain le client prend peur
dans la nuit

lV

Il crie comme chez le dentiste
Mais c'est beaucoup plus sinistre
De dessous le lit un homme est sorti
et tout doucement s'approche de lui

Vous dormez sur vos deux oreilles
comme on dit

«Avec l'ami de Gaulle» (ci-contre), dessin et parodie de Jacques Prévert (vers 1960).

Et quelques ratons rappeurs...

Combien de textes, à la fois tendres, humoristiques, corrosifs et dérangeants, doit-on à ce poète épris de liberté, dénonçant à longueur de vie, bien que souvent censuré, toutes formes d'injustice? Combien de scénarios considérés comme perturbateurs?

«Il apporte un son neuf dans la poésie française, avait dit Georges Ribemont-Dessaignes du jeune Prévert encore inédit. Même quand il écrit, on dirait qu'il parle. Il vient de la rue et non de la littérature.»

Chanson-discours, paroles au rythmes heurtés, révolte en rupture d'hémistiche, les rappeurs – sages poètes de la rue – présentent avec Prévert un certain lien de parenté. «La dernière de l'un / est la première d'un autre / Le mot de passe du temps / est un soupir ardent.» Ou bien «Ce qui tombe sous le sens rebondit ailleurs.» Ou encore «Nul n'est insensé qui ignore la loi»... Les aphorismes de «Graffiti» (dans *Choses et autres*) sont à la disposition de quiconque en doute.

Le Prévert animé de l'illustre illustratrice

A l'école Jacques-Prévert de Metz. J'entre dans la classe de C. P. et, après les hurlements habituels et très gais, «bonjour Jacqueline Duhême», j'explique aux enfants que si je suis ce jour parmi eux c'est que cinquante ans d'amitié avec Jacques Prévert et sa petite famille font que je vais pouvoir «le» raconter un peu, dire comment on a travaillé ensemble, les fous rires à cause de l'humour de Prévert, de ses jugements caustiques, etc.

Les enfants disent : «Mais il est mort Jacques Prévert.» Alors là, je dis comment un poète n'est jamais mort

Jacqueline Duhême à l'école maternelle de Saint-André-sur-Orne, en janvier 1997.

puisqu'on en parle comme s'il était là, puisque ses poèmes, ses histoires avec le sentiment que ça se passe comme ça maintenant, qu'on peut faire des images autour de ses textes si colorés. La vie, c'est continuer ce que Jacques a commencé, c'est être comme lui exigeant et marrant à la fois, aimer les enfants et les animaux. Et, pour appuyer mes dires, je raconte Jacques et ses farces, Jacques qui, sortant du restaurant et devant une affiche vantant des belles chaussures, a enlevé son écharpe et fait briller les godasses en faisant le geste d'astiquer de gauche à droite de droite à gauche! Les attroupements avec les gens qui rigolent.

D'autres histoires encore avec le champagne dans les coupes pour fêter les enfants qui venaient le voir, et Jacques qui trempait son doigt dans le champagne, le passait derrière l'oreille de chaque enfant en faisant «bonheur», et Janine qui lui disait que le champagne ce n'était pas très indiqué pour les enfants. Jacques répondant que ça ne faisait rien que lui trouvait ça très bien, et que si les enfants n'en voulaient pas, lui, Jacques, boirait les coupes (il adorait le champagne)...

C'est vrai, je prends grand plaisir à ces «animations scolaires» où je rencontre les enfants, où je leur fais connaître un peu mieux le merveilleux bonhomme qu'était Jacques Prévert. Et puis, les réflexions sont drôles : une fois, en sortant d'une grande maternelle où on avait chanté, dessiné, raconté «En sortant de l'école», je vois un petit garçon qui se précipite vers sa mère et qui dit : «Maman, on a eu Jacqueline Prévert aujourd'hui à l'école.»

Dans une ZUP aux banlieues dures, je me fais dire par un galopin : «Mais t'es vieille toi!» Ben oui! je fais, et t'as de la chance, comme ça je peux te raconter mon copain Jacques Prévert! Alors un genre beur, l'œil brillant, dit : «Vouais, et même qu'elle est pas assez vieille, qu'elle pourrait nous causer de Victor Hugo, que celui-là on nous en parle tout le temps!»

Témoignage de Jacqueline Duhême

Banderole portant le texte bosniaque de «Barbara», à la Bibliothèque nationale de Sarajevo, en mars 1996.

«Ti govorim svima koji se vole» («Je dis tu à tous ceux qui s'aiment», fussent-ils bosniaques!)

Poème d'amour, «Barbara» est sans doute le plus célèbre des textes que Prévert écrivit contre la guerre. Aussi est-il non seulement normal, mais bien indispensable de le répéter partout où est bafoué le droit à la paix. Comme on brandirait la Déclaration des droits de l'homme, on y doit placarder, répéter à tue-tête : «Oh Barbara! Quelle connerie la guerre»…

Dépositaires privilégiés de ce message de Prévert, sa petite-fille et son gendre ont voulu le porter aux frontières de l'univers, et ont commencé par cette banlieue de l'Europe, les Balkans, l'«ex-Yougoslavie», à Sarajevo, dans la Bibliothèque nationale détruite par les bombes, où le poème a été déployé, inscrit sur une longue banderole, en mars 1996.

L'année précédente, la compagnie de théâtre lyonnaise La Fleur de l'âge avait donné la représentation d'un spectacle-collage de textes de Jacques Prévert regroupés sous le titre *Barbara*.

Du boulevard du Crime au rond-point des Champs-Elysées, ou «Les Enfants du paradis» adapté au théâtre par la compagnie Marcel Maréchal

Mise en théâtre d'un texte né du théâtre, *Les Enfants du paradis* devient une pièce, jouée par seize acteurs et un musicien – tous les rôles principaux sont tenus par de jeunes acteurs – d'avril à juin 1997.

«Un maréchal pour un Carné / L'amiral Larima / La rime à quoi», une adaptation de François Bourgeat. Un Christian Lacroix pour une Jeanne Lanvin, les costumes de Garance, de Frédérick et de Baptiste se portent bien. Garance Clavel joue Garance, Mathias Maréchal Frédérick et Guillaune Canet Baptiste.

«Une minute de silence / une seconde d'inattention / et…» un CD-rom!

Un CD-rom sur Jacques Prévert? Quelle drôle d'idée! L'homme apparaît si loin des passions technologiques, mais son œuvre traverse tant de domaines – poésie, théâtre, cinéma, chanson, collages –, ses amitiés le rendent partie prenante de tant d'arts des autres – musique, danse, photographie, peinture, dessin animé…

Prévert le touche-à-tout a cultivé le goût du coq-à-l'âne. Pourquoi, pour en rendre compte, ne pas s'offrir le césame contemporain du double clic? Et aborder Prévert au travers d'un index, d'une chronologie, d'une anthologie. Luxe qui ne pouvait être réalisé que par des proches.

Aussi le grand coordinateur de l'affaire est-il André Pozner, déjà auteur d'*Hebdromadaires*, ce livre de dialogues biographiques, littéraires et d'actualités mis au point au travers de longs entretiens avec le poète entre 1968 et 1972, et réalisateur d'un film, *L'Animal en question*, toujours à propos de Prévert.

Quant aux documents : ils sont fournis ou authentifiés par la famille, ce qu'on peut appelée «la succession Prévert». A voir, donc, et à écouter.

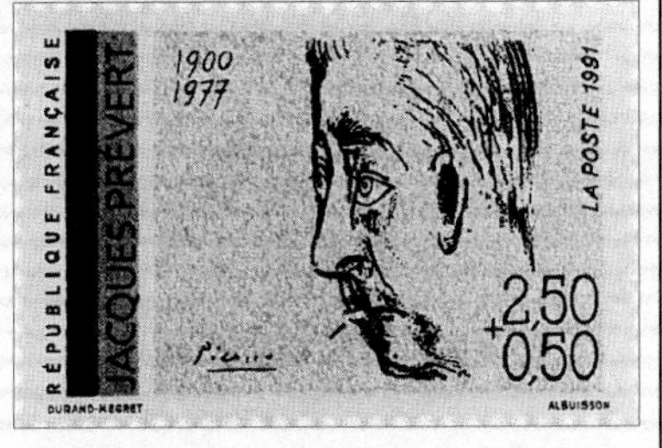

Assez fidèle à la photographie, finalement, Picasso! Timbre émis en France en 1991.

FILMOGRAPHIE

Rangeons sous ce titre, barbare, mais traditionnel, les films qui furent réalisés, auxquels Jacques Prévert a collaboré et qu'il a signés (sauf mention contraire), soit plus de trente longs métrages et quinze courts, puis les plus importants des projets non aboutis. Abréviations utilisées : Sc. : écriture du scénario; dial. : écriture des dialogues; comm. : rédaction du commentaire; adapt. : adaptation (travail, d'après un roman ou une pièce, pour le transformer en découpage cinématographique); c. m. : court métrage.

I. Films

● *Souvenir de Paris* ou *Paris express* : 1928, court métrage (muet) de Jacques et Pierre Prévert.

● *Baleydier*, 1961 de Jean Mamy. Sc. et dial. d'après une idée de André Gérard. Avec Michel Simon. (Le film semble perdu; reste un texte hilarant «Petite Vie des Césars, scène de Rome»).

● *Teneriffe*, 1932, c. m. de Yves Allégret. Comm.

● *Comme une carpe* ou *Le Muet de Marseille*, 1932, c. m. de Claude Heymann. Avec Fernandel.

● *L'affaire est dans le sac* de Pierre Prévert. Adapt. et dial. d'après un sc. du Hongrois A. Rathony. Avec Brunius, Carette, Decroux, Le Chanois.

● *Ciboulette*, 1933, de Claude Autant-Lara. Adapt. et dial. d'après le livret de l'opérette de R. de Flers et F. de Croisset. Avec Simone Berriau, Dranem, Urban, Pomiès, Duhamel.

● *L'Hôtel du libre échange*, 1934, de Marc Allégret. Adapt. et dial. «additionnels» d'après la pièce de G. Feydeau. Avec Fernandel, Saturnin Fabre.

● *La Pêche à la baleine*, 1934, c. m. de Lou Bonin-Tchimoukov. Chanson et interprétation.

● *Si j'étais le patron*, 1934, de Richard Pottier. Révision (non signée) des dial. de A. Cerf et R. Pujol d'après le film allemand *Wenn ich der König war*. Avec Fernand Gravey, Max Dearly.

● *Un oiseau rare*, 1935, de Richard Pottier. Adapt. et dial. d'après une pièce de Erich Kästner, avec Max Dearly, Pierre Brasseur.

● *Jeunesse d'abord*, 1935, de Jean Stelli. Adapt. et dial. Avec Pierre Brasseur, Josette Day.

● *Le Crime de M. Lange*, 1935, de Jean Renoir. Adapt. et dial. d'un projet de Jean Renoir et J. Castanier. Avec Jules Berry, Florelle, René Lefevre, Sylvia Bataille.

● *Jenny*, 1936, de Marcel Carné. Adapt. et dial. d'un roman de Pierre Rocher. Avec Françoise Rosay, Albert Préjean, Charles Vanel.

● *Moutonnet*, 1936, de René Sti. Adapt. et dial. d'un sc. de Noël-Noël. Avec Noël-Noël, Michel Simon.

● *Vous n'avez rien à déclarer*, 1936, de Léo Joannon. Adapt. et dial. d'une pièce de M. Hennequin et P. Veber, refusés par Raimu (réécrits par M. Allégret, J. Aurenche et J. Anouilh). Avec Raimu, Saturnin Fabre, Pierre Brasseur.

● *Drôle de drame*, 1937, de Marcel Carné. Adapt. et dial. du roman anglais de Storer Clouston. Avec Louis Jouvet, Michel Simon, Françoise Rosay, Jean-Louis Barrault, Jean-Pierre Aumont.

Image de *Souvenir de Paris*.

● *L'Affaire du courrier de Lyon*, 1937, de Claude Autant-Lara. Dial. (non signés) sur une adapt. de Jean Aurenche. Avec Pierre Blanchar, Dita Parlo, Jacques Copeau, Charles Dullin.

● *Le Quai des brumes*, 1938, de Marcel Carné. Adapt. et dial. d'après le roman de Pierre Mac Orlan. Avec Jean Gabin, Michèle Morgan, Michel Simon, Pierre Brasseur, Robert Le Vigan.

● *Les Disparus de Saint-Agil*, 1938, de Christian-Jaque. Adapt. et dial. (non signés) du roman de Pierre Véry. Avec Michel Simon, Eric von Stroheim.

● *Ernest le rebelle*, 1968, de Christian-Jaque. Adapt. et dial. (non signés) du roman de Jacques Perret. Avec Fernandel.

● *Le jour se lève*, 1939, de Marcel Carné. Adapt. et dial. d'un sujet de Jacques Viot. Avec Jean Gabin, Arletty, Jules Berry, Jacqueline Laurent.

● *Remorques*, 1939-1941, de Jean Grémillon. Adapt. (signée A. Cayatte) du roman de Roger Vercel. Avec Jean Gabin, Michèle Morgan, Madeleine Renaud, Fernand Ledoux.

● *Une femme dans la nuit*, 1941, de E.-T. Gréville. Adapt. et dial. de Pierre Laroche (non signée, revue) d'un sc. de Jacques Companeez. Avec Viviane Romance, Claude Dauphin, Georges Flament.

● *Le soleil a toujours raison*, 1941, de Pierre Billon. Adapt. et dial. d'une nouvelle de Pierre Galante. Avec Tino Rossi, Micheline Presle, Charles Vanel, Pierre Brasseur.

● *Les Visiteurs du soir*, 1941, de Marcel Carné. Sc. et dial. avec Pierre Laroche. Avec Jules Berry, Arletty, Fernand Ledoux, Marie Déa, Alain Cuny, Marcel Herrand.

● *Lumière d'été*, 1941, de Jean Grémillon. Sc. et dial. avec Pierre Laroche. Avec Madeleine Renaud, Pierre Brasseur, Paul Bernard, Madeleine Robinson.

● *Adieu... Léonard*, 1943, de Pierre Prévert. Sc. et dial. avec Pierre Prévert. Avec Charles Trénet, Julien Carette, Pierre Brasseur, Denise Grey.

● *Les Enfants du paradis*, 1943-1945, de Marcel Carné. Sur une idée de Jean-Louis Barrault, le premier et le seul film dont Jacques Prévert est l'auteur unique. Avec Arletty, Pierre Brasseur, Jean-Louis Barrault, Louis Salou, Marcel Herrand, Maria Casarès, Pierre Renoir.

● *Sortilèges*, 1945, de Christian-Jaque. Adapt. avec Christian-Jaque et dial. d'après le roman *Le Cavalier de Riouclare* de Claude Boncompain. Avec Renée Faure, Fernand Ledoux, Madeleine Robinson, Roger Pigaut.

● *Aubervilliers*, 1945, c. m. de Eli Lotar. Comm. et chansons.

● *Les Portes de la nuit*, 1946, de Marcel Carné. Adapt. et dial. d'après son ballet «Le Rendez-Vous». Avec Pierre Brasseur, Saturnin Fabre, Serge Reggiani, Yves Montand, Nathalie Nattier.

Jacques-Bernard Brunius dans *L'affaire est dans le sac*.

● *L'Arche de Noé*, 1946, de Henry Jacques. Adapt. et dial. avec Pierre Laroche, d'après le roman *Les Repues franches* de Albert Paraz. Avec Pierre Brasseur, Armaud Bernard.
● *Voyage surprise*, 1946, de Pierre Prévert. Adapt. avec Pierre Prévert et Claude Accursi de «Paris Paris», opérette de Diamant-Berger, Jean Nohain et Mireille, et dial. Avec Sinoël, Maurice Baquet, Martine Carol.
● *Le Petit Soldat*, 1946, c. m. d'animation de Paul Grimault. Adapt. avec Paul Grimault du *Soldat de plomb* d'Andersen.
● *Les Amants de Vérone*, 1947, de André Cayatte. Adapt. et dial. d'un sc. de A. Cayatte.

Jacques Prévert et Georges Pomiès dans *Ciboulette.*

Avec Pierre Brasseur, Louis Salou, Serge Reggiani, Anouk Aimée, Marcel Dalio, Marianne Oswald.
● *Souvenirs perdus*, 1950, de Christian-Jaque. Adapt. et dial. de deux sketches «La Statuette» avec Pierre Brasseur, Edwige Feuillère et «Le Violon» avec Bernard Blier, Yves Montand.
● *La Bergère et le Ramoneur*, 1946-1950. Long métrage d'animation de Paul Grimault. Sc. avec P. Grimault; chansons.
● *La Marie du port*, 1950, de Marcel Carné. Adapt. (non signée) avec Louis Chavance et M. Carné du roman de Simenon; dial. (non signés) avec Georges Ribemont-Dessaignes. Avec Gabin, Nicole Courcel, Blanchette Brunoy, Carette.
● *Bim le petit âne*, 1950, c. m. d'Albert Lamorisse. Comm. avec A. Lamorisse.
● *Mon chien*, 1954, c. m. de Georges Franju. Comm.
● *Notre-Dame de Paris*, 1956, de Jean Delannoy. Adapt. avec Jean Aurenche et dial. d'après le roman de Victor Hugo. Avec Gina Lollobrigida, Anthony Quinn, Alain Cuny.
● *La Seine a rencontré Paris*, 1957, c. m. Joris Ivens. Comm.
● *Paris mange son pain*, 1958, c. m. de Pierre Prévert. Comm.
● *Les Primitifs du XIIIe*, 1958, c. m. de Pierre Guilbaud. Comm.
● *Paris la belle*, 1959, c. m. de Pierre Prévert (incluant des images de *Souvenirs de Paris*, 1928). Comm.
● *Les Amours célèbres*, 1961, de Michel Boisrond. Adapt. du sc. «Agnès Bernauer» de France Roche. Avec Brigitte Bardot, Alain Delon.
● *Le Petit Chapiteau*, 1963, c. m. de Joris Ivens. Poème.
● *Petit Claus et grand Claus*, 1964 (TV), de Pierre Prévert. Adapt. et dial. d'après Andersen. Avec Maurice Baquet, Roger Blin, Elisabeth Wiener.
● *La Maison du passeur*, 1965, de Pierre Prévert (TV) Adapt. et dial. d'un sc. de Pierre Prévert. Avec Raymond Bussières.
● *A la belle étoile* ou *Les Rois de la cloche*, 1966 (TV), de Pierre Prévert. Adapt. et dial. avec P. Prévert d'après *The Cop and the Anthem* de O'Henry. Avec Jean Wiener, Raymond Bussières.
● *Le Diamant et le chien mélomane*, 1970. Deux c. m. d'animation de Paul Grimault. Sc. et comm.
● *Le Roi et l'oiseau*, 1979, de Paul Grimault, long métrage d'animation. Dial.

N. B. Jacques Prévert apparaît en 1961 dans *Mon frère Jacques* de Pierre Prévert, 6 heures d'émissions pour la TV belge, et en 1972 dans *L'Animal en question*, c. m. de André Pozner.

II. Projets

Même pour un scénariste collectionnant les succès publics comme Jacques Prévert, même à l'époque de sa plus grande notoriété dans le cercle des producteurs, il faut compter au moins un projet inabouti pour un film réellement porté à l'écran. La liste complète de tant d'idées sans suite serait fastidieuse; récapitulons seulement les travaux longtemps poursuivis, le plus souvent jusqu'à l'écriture d'un scénario complet.
Dès avant 1930, au temps du muet, Prévert collabore avec ses amis Queneau et Duhamel pour *Le Trésor*; avec André Vigneau pour un dessin animé *Baladar*; avec son frère Pierre pour plusieurs sketches dont l'un sera la source

Affiche de Pierre Grimault pour *Adieu… Léonard.*

du film *Adieu… Léonard* en 1943. Mais son texte le plus élaboré, «une continuité déjà précise» (M. Duhamel) est «Emile ou le trèfle à quatre feuilles», qui était destiné à Pierre Batcheff.

Vont suivre, entre autres :

- «Un chien qui raccroche», 1933.
- «Dolina», 1933, écrit en Tchécoslovaquie (publié dans *Attention au fakir*).
- «Mon associé M. Davis», 1934.
- «Bonne nuit capitaine», 1936, d'après sa pièce pour le Groupe Octobre. Plus tard, Pierre Prévert en tirera une version radiophonique.
- «Le Grand Matinal ou Paris Matinal», satire de la presse (d'abord prévue avec Maurice Chevalier, puis avec Jules Berry) pour Jean Grémillon.
- «Le Métro fantôme», 1937, pour Georges Méliès (prévu avec les comédiens qui interpréteront *Drôle de drame*). Georges Ribemont-Dessaignes l'adaptera pour la radio en 1951.
- «Train d'enfer», 1938, pour Jean Grémillon, avec Gabin et Arletty.
- «Il pleut des chiens et des chats», 1938 (écrit à Hollywood, avec Jacqueline Laurent).
- «La Rue des vertus», 1938. Maquettes de Trauner terminées, pour Marcel Carné.
- «Feu follet ou la clef des champs», 1939, sketches pour Bernard Deschamps.
- «Les Mensonges du baron de Crac», 1939, pour Hans Richter. «La part de Jacques est considérable dans l'invention» (M. Duhamel).
- «La Lanterne magique ou Jour de sortie», 1941, pour Marcel Carné. Maquettes de Trauner terminées.
- «Comme la plume au vent ou Monsieur Casa», 1942, pour Marc Allégret. Raimu aurait tenu le rôle de son père André Prévert.
- «Sylvie et le fantôme», 1942, pour Jean Grémillon, avec Pierre Brasseur. Maquettes de Trauner terminées (c'est Claude Autant-Lara qui tournera une autre adaptation, par Jean Aurenche).
- «Hécatombe ou l'Epée de Damoclès», 1947, qui aurait dû être coréalisé par Jacques, Pierre Prévert et Alexandre Trauner. Orson Welles voulut ensuite que Jacques en fasse une pièce.
- «La Fleur de l'âge», 1947. Commencé par Marcel Carné.
- «Les Caves du Vatican», 1949, pour Yves Allégret. Plusieurs semaines de collaboration avec André Gide, admirateur du Groupe Octobre et de *Paroles*.
- «Au diable vert», 1954, pour Noël Howard, que devaient interpréter Betsy Blair et Sidney Chaplin.

Après ces vingt scénarios qui ne purent devenir des films, comment s'étonner si leur auteur préféra s'éloigner d'une aussi ingrate activité? «Tout ce qui touche au cinéma est si fatigant, si démoralisant», se plaignait-il à Brasseur. En 1948, *Les Amants de Vérone* peut être considéré comme son œuvre testamentaire. En 1950, brouille avec Christian-Jaque à propos de sketches de *Souvenirs perdus*; brouille avec Carné, anonymat de sa collaboration à *La Marie du port* (ne pas signer étant la seule manière pour un «collaborateur de création» de marquer son désaccord). En 1956, déception que le *Notre-Dame de Paris* rêvé par Aurenche et lui soit réduit à un chromo…
Jacques Prévert préférera boucler avec *Paris la Belle* la boucle de *Souvenir de Paris*, trente ans après. «Trente Ans ou la vie d'un joueur», n'était-ce pas un titre du boulevard du Crime?

BIBLIOGRAPHIE

TEXTES DE JACQUES PRÉVERT

I. Théâtre

L'ensemble des textes écrits par Jacques Prévert pour le Groupe Octobre n'a pas encore été rassemblé et publié. Toutefois, les pièces les plus importantes ont paru dans *Spectacle* («La Bataille de Fontenoy», «Le Tableau des merveilles»), *La Pluie et le beau temps* («La Famille Tuyau-de-Poêle») et dans le recueil posthume *La Cinquième saison* («Fantômes», «Le Réveillon tragique»). Elles ont été reprises, avec d'autres sketches, dans les *Œuvres complètes* (collection La Pléiade, tomes I et II).

II. Poèmes

L'essentiel de l'œuvre de Jacques Prévert a paru de son vivant, en six volumes composé par lui-même et par l'éditeur René Bertelé, pour sa collection «Le Point du jour» chez Gallimard :
– *Paroles*, 1946
– *Spectacle*, 1951
– *La Pluie et le beau temps*, 1955
– *Histoires et d'autres histoires*, 1963
– *Fatras*, 1966
– *Choses et autres*, 1972.

Deux volumes ont été publiés après sa mort, *Soleil de nuit* (1980) et *La Cinquième Saison* (1984), par Arnaud Laster, qui a édité ensuite avec Danièle Gasiglia-Laster les deux premiers tomes d'*Œuvres complètes* (Pléiade, 1992 et 1996), avec l'appareil critique habituel à la collection : notes bibliographiques, variantes de textes, etc.

Ces volumes regroupent, outre les six titres précités, plusieurs petits livres parus isolément du vivant de l'auteur, les uns plus spécialement destinés aux enfants (*Le Petit Lion*, *Des bêtes*, *Lettre des îles Baladar*, *Guignol*, *L'Opéra de la lune*, *Contes pour enfants pas sages*, *Le Roi et l'oiseau*…), d'autres illustrés par des photographies (*Grand Bal du printemps*, *Charmes de Londres*, *Couleurs de Paris*, *Les Halles*), des gravures (*Arbres*, *Fêtes*, *Le Jour des temps*) ou des collages dus à l'auteur (*Fatras*, *Imaginaires*).

III. Cinéma

Six scénarios de Jacques Prévert ont paru, en trois volumes, aux Editions Gallimard, par les soins d'André Heinrich :
– *Jenny* et *Le Quai des brumes*, 1988
– *La Fleur de l'âge* et *Drôle de drame*, 1988
– *Le Crime de M. Lange* et *Les Portes de la nuit*, 1990.

André Heinrich a également publié (Cahiers de la NRF, Gallimard, 1995), sous le titre *Attention au fakir*, divers textes des années 1930 pour la scène et l'écran.

Plusieurs dialogues de Jacques Prévert (relevés d'après les films) ont été publiés dans la collection «L'Avant-Scène Cinéma» (1961-1967) : *Les Primitifs du XIII*e, n° 2; *Paris la belle*, n° 8; *Les Visiteurs du soir*, n° 12; *Le jour se lève*, n° 53; *Les Enfants du paradis*, n° 72; *Le Quai des brumes*, n° 234.

Les Amants de Vérone a paru à «La Nouvelle Edition» (1949) et *Une partie de campagne*, scénario inédit pour Jean Renoir, dans la revue *Art et Essai*, 1965. Le scénario original (avant découpage technique) des *Enfants du paradis*, présenté par Bernard Chardère, a été publié en 1999 (J.-P. de Monza).

Depuis 1981, où fut édité en vidéocassette *L'affaire est dans le sac* avec *Voyage surprise*, une vingtaine de films dont les scénarios sont l'œuvre de Jacques Prévert l'ont été également (René Chateau Vidéo).

IV. Chansons

On peut entendre 100 chansons «de» Jacques Prévert – textes de Prévert, sur des musiques de compositeurs divers – au fil des 6 compacts d'une compilation présentée par Polygram en 1992. Avec 25 poèmes dits par l'auteur lui-même, accompagné par le guitariste Henri Crolla. L'ensemble comporte, en fait, 175 enregistrements, plusieurs titres étant proposés dans différentes interprétations – une dizaine pour les seules «Feuilles mortes». (Curieusement, jamais ce texte ne fut publié par Jacques…)

V. Biographies

«Raconte pas ta vie» : Prévert faisait sienne l'expression populaire. Pourtant, il a raconté ses premières années avec «Enfance» (dans *Choses et autres*, son dernier recueil), donné un résumé de Saint-Germain-des-Prés et des amis (dans *La Cinquième Saison*). Surtout, il s'est livré à un interviewer complice, André Pozner, dans *Hebdromadaires* (Guy Authier, 1972; Gallimard, 1982). Ce reportage, écrit sous l'œil de l'auteur, quand ce n'est de sa main, est essentiel pour la connaissance de l'«animal en question».

ESSAIS CRITIQUES

I. Théâtre

– Notes sur le Groupe Octobre par Bernard Chardère dans le n° 14 de la revue de cinéma *Premier Plan* (1960).
– Monographie de Michel Fauré : *Le Groupe Octobre* (Christian Bourgois, 1977).

II. Poésie

– *Jacques Prévert* par Jean Quéval (Mercure de France), première étude d'ensemble.
– *Prévert* par Andrée Bergens (Editions universitaires, 1969).
– Essais divers à l'intention des scolaires : *Prévert* par Arnaud Laster (Hatier, 1972); *A travers Prévert* par Joël Sadeler (Larousse, 1975); *Paroles* présenté par Michel Bigot et Bruno Vercier (Folio Plus, 1997).
– Numéros spéciaux de revues : *Sortilèges* («Jacques Prévert parmi nous»), 1953; *Le Magazine littéraire* (n° 155, 1979); *Europe* (n° 748, 1991); *Télérama* (1997).
– Quant aux études et articles parus dans des revues ou des journaux, ce n'est point ici le lieu de dresser un inventaire, avec ou sans raton laveur, de tout ce qui a été écrit à propos de Prévert. Remarquons en tous cas que s'il a été salué par l'admiration d'auteurs de sa famille d'esprit – Georges Bataille, Henri Michaux, Roger Leenhardt, Maurice Blanchot, Maurice Nadeau, Pascal Pia, Pierre Dumayet, Claude Roy, Raymond Queneau, Gaétan Picon, Maurice Saillet, et nous en oublions –, beaucoup d'autres, dès *Paroles* et *Spectacle*, ne se sont jamais départis d'une allergie prononcée, plus au moins nuancée, envers la révolte, l'athéisme, le non-conformisme proclamés par leur auteur. Eloquentes sont les anthologies d'«accueil de la presse» établies par Arnaud Laster (Pléiade, tomes I et II) après chaque publication de Prévert. Un exemple : «Poésie brute, facile, immédiate, ennemie de l'art» (dit l'un, sans se douter qu'il décrit le rêve même de ce poète!) «Volontiers vulgaire… rouspéteur… pas de révolte réelle… populaire, au fond contre le peuple… Il n'aime pas le travail, l'art, la concision, toutes les bonnes règles qui font qu'une œuvre est une œuvre durable.» (Et le même d'avouer son rêve de pion :) «On a envie de corriger ce qu'il écrit.»

Comme le constatait Jacqueline Piatier : «Il n'a pas été tendre avec les intellectuels, qui le lui ont bien rendu.» Et sans vouloir entamer une «critique de la critique», relevons à quel point les croyances (idéologiques) obèrent le goût (littéraire) : sitôt qu'un écrivain n'est pas de l'avis de son critique sur le fond, ce dernier semble incapable d'apprécier les cadences de sa plume, la richesse de son imaginaire, la qualité de son inspiration. On voudrait protester, comme lorsqu'il s'agit de faire admettre qu'il y a *autre chose* (que le sens littéral) dans Claudel ou dans Céline : «Et le style, Messieurs, que faites-vous du style, de l'art pour l'art? Laissons les idéologies, pour défendre et illustrer Prévert sur la forme.»

III. Cinéma

– Plusieurs numéros spéciaux de publications de critique cinématographique ont été consacrés à Jacques Prévert et à son frère Pierre, notamment : *Ciné-Club*, n° 4 (1947); *Premier Plan*, n° 14 (1960); *Image et son*, n° 189 (1965).
– Un livre : *Les Prévert* par Gérard Guillot (Seghers, 1966). A propos de la collaboration Prévert-Carné, se reporter à l'album *Les Films de Carné* de Michel Pérez (Ramsay, 1986).
– Chefs-d'œuvre portés à l'écran par Carné et autres projets non réalisés dans *Le Cinéma de Jacques Prévert* (Castor astral, 2000). L'œuvre cinématographique complète est passée en revue par Bernard Chardère.

IV. Les chansons

La compilation Polygram de 1992 (*op. cit.*) est présentée par Georges Unglik. Bien qu'il s'agisse moins de «critique» que d'interprétation, dans tous les sens du mot, notons que parmi des noms judicieusement choisis pour leur importance «historique», ceux qui reviennent le plus souvent sont, alphabétiquement : Agnès Capri, Les Frères Jacques, Juliette Gréco, Yves Montand, Germaine Montero, Mouloudji, Marianne Oswald, Edith Piaf, Serge Reggiani, Catherine Sauvage, Cora Vaucaire. Catherine Ribeiro et Jean Guidoni ferment la liste, chronologiquement mais provisoirement : les rappers prennent la relève.

V. Biographies

Les diverses biographies de Jacques Prévert sont des exercices de style plus ou moins inspirés puisant tous – comment en serait-il autrement? – dans le même fonds commun de «petits faits vrais» connus d'un homme qui refusa toujours de tourner sa vie privée vers le public, vers la publicité moins encore. L'Album Pléiade de André Heinrich, éphéméride précis, commenté et illustré (épuisé dès sa sortie en 1992), est la source principale de ces ouvrages :
– *Jacques Prévert* par Danièle Gasiglia-Laster (Librairie Séguier Vagabondages, 1986).

– *Jacques Prévert, «celui qui rouge de cœur»*, par Danièle Gasiglia-Laster (Séguier, 1994).
– *Jacques Prévert, des mots et merveilles* par René Gilson (Belfond, 1990).
– *Prévert, inventaire* par Alain Rustenholz (Seuil, 1996).
– *Les Frères amis*, par Jean-Claude Lamy (Laffont, 1997).
– *Jacques Prévert*, par Yves Courrière (Gallimard, 2000). Toutes les petites histoires d'une vie sans histoires avec les derniers témoignages des proches.

VI. Témoignages

De nombreux témoignages et souvenirs amicaux sur Jacques Prévert figurent dans les autobiographies de : Marcel Duhamel (*Raconte pas ta vie*, Mercure de France, 1972); Pierre Brasseur (*Ma vie en vrac*, Calmann-Lévy, 1972); Agnès Capri (*Sept épées de mélancolie*, Julliard, 1975); Simone Signoret (*La nostalgie n'est plus ce qu'elle était*, Seuil, 1976); Michèle Morgan (*Avec ces yeux-là*, Laffont, 1977); Marcel Carné (*La Vie à belles dents*, J. Vuarnet, 1979, plusieurs rééditions, avec d'amusantes modifications); Jeanne Witta-Montrobert (*La Lanterne magique*, Calmann-Lévy, 1980); Jacqueline Duhême (*Line et les autres*, Gallimard, 1980); Michel Rachline (*Drôle de vie*, Ramsay, 1981); Denise Tual (*Au cœur du temps*, Carrère, 1987); Pierre Braunberger (*Cinémamémoire*, Centre Pompidou, 1987); Mouloudji (*Le Petit Invité*, Balland, 1989); Francis Lemarque (*J'ai la mémoire qui chante*, Presses de la Cité, 1992).

Sur Jacques Prévert, consulter également les biographies écrites sur ses amis : Paul Grimault (par J.-P. Pagliano, L'Age d'homme, 1986), J.-B. Brunius (*id. ibid.*, 1987; chez le même éditeur, réédition de l'essai de Brunius *En marge du cinéma français*), Gabin (par A. G. Brunelin, Laffont, 1987), Yves Montand, Boris Vian, etc.

Des catalogues d'expositions apportent aussi des éléments biographiques et une documentation photographique intéressante, notamment :
– *Jacques Prévert et ses amis photographes* (avec des souvenirs de Pierre Prévert). Fondation Nationale de la Photographie, 1981.
– *Les Prévert de Prévert* (ses collages). Bibliothèque nationale, 1982.
– *A la rencontre de Jacques Prévert* (ses amis peintres), Fondation Maeght, 1987.
– *Rue Jacques-Prévert*, photos de Robert Doisneau, éditions Hoëbeke, 1992.

TABLE DES ILLUSTRATIONS

COUVERTURE

OUVERTURE

CHAPITRE I

CHAPITRE II

CHAPITRE III

44b Affiche de *Drôle de drame* par Bernard Lancy. Bifi, Paris.
44-45 Extrait du tapuscrit de *Drôle de drame*. Coll. Bachelot-Prévert.
45h J. Prévert et Jacqueline Laurent vers 1937, photo de Wols. Fondation nationale de la Photographie.
45b Couverture de la partition de *Chasse à l'enfant* de Prévert et Kosma, Enoch, 1936. Coll. Bachelot-Prévert.
46 Affiche du *Quai des brumes*. Selva Photographies, Paris.
46-47 Tournage du *Quai des brumes*. Coll. Nane Trauner.
47 Extrait du manuscrit du *Quai des brumes*. Coll. Bachelot-Prévert.
48h Nico Patatakis, André Virel, J. Prévert, Claudie Carter et Joseph Kosma photographiés dans un décor du *Quai des brumes*. Fondation nationale de la Photographie.
48b Affiche de *Remorques*. Bifi, Paris.
49h Jean Gabin et Jacqueline Laurent dans *Le jour se lève*, 1939. Bifi, Paris.
49b Tino Rossi et Micheline Presle dans *Le soleil a toujours raison*. Bifi, Paris.
50h Affiche des *Visiteurs du soir*. Bifi, Paris.
50b Titre manuscrit du scénario des *Visiteurs du soir*. Coll. Bachelot-Prévert.
50-51 J. Prévert et Marcel Carné travaillant ensemble au découpage des *Visiteurs du soir*, photo d'Alexandre Trauner. Coll. Nane Trauner.
51g Charles Trenet dans *Adieu Léonard*, 1943. Bifi, Paris.
51d Affiche d'*Adieu Léonard*. Collection Atmosphère/Selva, Paris.
52 Moitié gauche d'une page de travail de J. Prévert pour *Sylvie et les fantômes*. Coll. Bachelot-Prévert.
53h Détail de la moitié droite de la même page de travail de J. Prévert pour *Sylvie et les fantômes*. Coll. Bachelot-Prévert.
53m et 53b Deux détails d'une page de travail de J. Prévert pour *Les Visiteurs du soir*. Coll. Bachelot-Prévert.
54g Photographie extraite d'un dossier de presse pour *Les Enfants du paradis*. Institut Lumière, Lyon.
54d Maquette de costume de Mayo pour Garance dans *Les Enfants du paradis*. Coll. France Mayo.
54-55 Extrait d'une attestation d'André Virel en faveur de J. Prévert le 19 mars 1945. Coll. Bachelot-Prévert.
55 Maquette d'Alexandre Trauner pour le rideau de scène des *Enfants du paradis*. Coll. Nane Trauner.
56 J. Prévert, Robert Scipion et Joseph Kosma en 1944. Coll. Harlingue-Viollet, Paris.
57h Affiche de *Sortilèges*. Coll. Atmosphère/Selva, Paris.
57b Scène d'*Aubervilliers* d'Elie Lotar, 1945. Bifi, Paris.

CHAPITRE IV

58 Prévert, avenue Junot, en 1947. Coll. Bachelot-Prévert.
59 Nouvelle édition de la partition d'*Inventaire* (1946) à l'occasion du Grand Prix du disque en 1950. Coll. Bachelot-Prévert.
60 Marlène Dietrich et Jean Gabin dans *Martin Roumagnac* de Georges Lacombe, 1948. Coll. Christophe L., Paris.
61h Couverture de l'édition originale de *Paroles* en 1946, sous couverture et étui illustré par Brassaï. Coll. Bachelot-Prévert.
61b Nathalie Nattier et Yves Montand dans *Les Portes de la nuit*, 1948. AFP, Paris.
62g Couverture de l'édition originale d'*Histoires*, 1946. Coll. France Mayo.
62d Affiche de Boris Grinsson pour *Voyage surprise*. Bifi, Paris.
62-63 Maurice Baquet dans *Voyage surprise* de Pierre Prévert, 1946.
64 J. Prévert et Marianne Oswald en 1947. Keystone, Paris.
64-65h J. Prévert et Elsa Henriquez, photo d'Emile Savitry.
64-65b Extrait du manuscrit des *Feuilles mortes*. Coll. Bachelot-Prévert.
65 Michèle, Janine et J. Prévert en 1946, photo de Germaine Kaudra.
66 Joseph Kosma au piano vers 1950. Fondation nationale de la Photographie.
66-67 Partition manuscrite des «Feuilles mortes» par Joseph Kosma, les deux premières pages. Conservatoire de musique de Nice.
67h Joseph Kosma. Fondation nationale de la Photographie.
67b Couverture du coffret de 8 chansons de Prévert et Kosma par les Frères Jacques, Polydor, années 1950. Coll. Bachelot-Prévert.
68hg Partition de «Sanguine» de Prévert et Henri Krolla, éditions Jacques Plante. Coll. de l'auteur.
68hm Partition d'«Embrasse-moi» de Prévert et Wal-Berg, 1934. Coll. Bachelot-Prévert.
68hd Partition de «Quand tu dors» de Prévert et Christiane Verger. Coll. de l'auteur.
68b Agnès Capri en 1934, photo Lipnitzki-Viollet.
68-69 Partition manuscrite des «Feuilles mortes» par Joseph Kosma, les deux pages suivantes. Conservatoire de musique de Nice.
69hg Partition du «Cri du cœur» de Prévert et Henri Crolla. Coll. Bachelot-Prévert.
69hd Recueil des partitions de diverses chansons de Juliette Gréco, parmi lesquelles des textes de J. Prévert. Coll. Bachelot-Prévert.
69b La chanteuse

CHAPITRE V

TÉMOIGNAGES ET DOCUMENTS

1955. Institut Lumière, Lyon.
106 Prévert au volant d'une automobile, photo d'Alexandre Trauner. Coll. Nane Trauner.
107g Photographie extraite de l'album *Des Bêtes* de J. Prévert et Ylla, 1950.
107d Portrait de J. Prévert, photo de Wols. Fondation nationale de la Photographie.
108g Couverture du *Petit Lion* de Prévert et Ylla. Archives Gallimard.
108dh Couverture des *Contes pour enfants pas sages* de Prévert et Elsa Henriquez. Coll. Bachelot-Prévert.
108db Couverture de *Guignol* de Prévert et Elsa Henriquez. Archives Gallimard.
109h Jacqueline Duhême et J. Prévert à Saint-Paul-de-Vence en 1953, photo d'Yves Mancier. Coll. J. Duhême.
109bg Couverture de la *Lettre des îles Baladar* de Prévert et André François, dans la collection «Folio Junior». Archives Gallimard.
109bm Couverture du *Dromadaire mécontent* de Prévert et Elsa Henriquez, dans la collection «Enfantimages». Archives Gallimard.
109bd Couverture de *En sortant de l'école* de Prévert et Jacqueline Duhême, dans la collection «Enfantimages». Archives Gallimard.
110g «Avec l'ami de Gaulle», dessin et parodie de J. Prévert, vers 1960. Coll. part.
110d Première page du tapuscrit des «Bruits de la nuit», comprenant un couplet supprimé. Coll. Paul Grimault.
111 Jacqueline Duhême dans une école maternelle de l'Orne en 1997. Coll. J. Duhême.
112g Banderole portant le texte de «Barbara» en bosniaque, déployée à la Bibliothèque nationale de Sarajevo en février 1996. Coll. Bachelot-Prévert.
112d Edition bosniaque de *Barbara*, recueil de poèmes de Prévert. Coll. Bachelot-Prévert.
113gh Affiche pour l'adaptation théâtrale des *Enfants du paradis* au Théâtre du Rond-Point des Champs-Elysées par la Compagnie Marcel Maréchal.
113gb Maquette de costume de Christian Lacroix pour la version théâtrale des *Enfants du paradis*.
113d Timbre à l'effigie de J. Prévert (d'après un dessin de Picasso), émis en 1991.
114 Couverture du n° 14 de la revue *Premier Plan* consacré à J. Prévert.
115g Image du film *Souvenir de Paris*. Bifi, Paris.
115d Jacques-Bernard Brunius dans *L'affaire est dans le sac*. Bifi, Paris.
116 J. Prévert et Georges Pomiès dans *Ciboulette*. Fondation nationale de la Photographie.
117 Affiche de Paul Grimault pour *Adieu Léonard*. Fondation nationale de la Photographie.

INDEX

CRÉDITS PHOTOGRAPHIQUES

Agence France Presse, Paris 28h, 36-37, 38-39, 61b. Archive Photo, France 75h. Archives Gallimard Dos de couverture, 108g, 108db, 109bg, 109bm, 109bd. Coll. Bachelot-Prévert Couv. 1er plat, 2e plat, 1, 10, 11, 12, 17, 18h, 19, 26-27, 28b, 29b, 42h, 42m, 42b, 44-45, 45b, 47, 50b, 52, 53h, 53m, 53b, 54-55, 59, 61h, 64-65b, 65, 67b, 68hm, 69hg, 69hd, 73, 75m, 75b, 76g, 76d, 79, 81h, 86, 87h, 88, 89, 90, 90-91, 93h, 93b, 95h, 95m, 95b, 108dh, 112g, 112d. Coll. Bachelot-Prévert/DR 36, 58. Coll. Bachelot-Prévert/© Picasso Administration 84. Bifi, Paris/DR 22, 24, 24-25, 26, 27, 29h, 31, 34-35, 35, 43h, 43b, 44h, 48b, 49h, 49b, 50h, 51g, 57b, 71, 94b, 115g, 115d. Christophe L., Paris 60. Coll. de l'auteur/DR 8h, 8b, 68hg, 68hd. Coll. Arlette Davreu, Paris 31b, 32, 33gh, 33gb, 33d. DR 16-17, 21, 38h, 62g, 66-67, 68-69, 99, 107g, 110g, 113d, 114. Coll. J. Duhême 109h, 111. © Gilles Ehrmann 82h. Fondation Maeght 91. Fondation nationale de la Photographie/DR 2, 9, 18b, 20, 20-21, 23, 30b, 34g, 38b, 45h, 48h, 62-63, 66, 74-75, 98, 107d, 116, 117. Giraudon, Vanves/ © Gérard Fromanger 82b. Coll. Paul Grimault 72-73, 85h, 110d. © Boris Grinsson/ADAGP 62d. © Noël Heuleu 30h. Institut Lumière, Lyon/DR 25, 54g, 72g, 102, 103, 104, 105. Keystone, Paris 64. © Joseph Koutachy 38. © Christian Lacroix, Paris 113gb. © Bernard Lancy 44b. France Mayo/ ADAGP 54d, 70-71. © Raymond Picon-Borel 37b. Coll. Catherine Prévert 12-13, 13h, 13b, 14, 14-15, 28-29, 37h, 81b. Rapho, Paris/© Robert Doisneau 78, 83, 85b, 97. Rapho, Paris/© Willy Ronis 6. Réunion des musées nationaux, Paris 15. Roger-Viollet, Paris 56, 68b, 69b. Emile Savitry © 64-65. Léonard Selva, Paris 34d, 41, 46, 51d, 57h, 72d, 80. Théâtre du Rond-Point des Champs-Elysées 113gh. Coll. Nane Trauner, Paris Couv. Ier plat, 2-3, 4-5, 5, 6-7, 40, 46-47, 50-51, 55, 67h, 70, 76-77, 92, 94h, 96, 106.

REMERCIEMENTS

L'auteur et les éditions Gallimard remercient pour l'aide qu'ils leur ont aimablement apportée dans la réalisation de cet ouvrage : Eugénie Bachelot, Hugues Bachelot, Alice Chardère, Sophie Daumas, Jean-Pierre Dauphin, Arlette Davreux, Francine Dérouville, Annette Doisneau, Germaine Duhamel, Jacqueline Duhême, Gilles Ehrmann, Paulette Grimault, André Heinrich, Elsa Henriquez, l'Institut Lumière, France Mayo, Claire Peyre, Lili Phan, Raymond Picon-Borel, Catherine Prévert, Patrick Sonnet, Nane Trauner, ainsi que tous les photographes dont les clichés ont été reproduits anonymement.

ÉDITION ET FABRICATION

DÉCOUVERTES GALLIMARD
COLLECTION CONÇUE PAR Pierre Marchand.
DIRECTION Elisabeth de Farcy. COORDINATION ÉDITORIALE Anne Lemaire.
GRAPHISME Alain Gouessant. FABRICATION Nadège Grézil. PROMOTION & PRESSE Valérie Tolstoï.
JACQUES PRÉVERT, INVENTAIRE D'UNE VIE
EDITION ET ICONOGRAPHIE Odile Zimmermann. MAQUETTE Valentina Lepore (Corpus), Aalam Wassef (Témoignages et Documents). LECTURE-CORRECTION Catherine Lévine et Jocelyne Marziou. PHOTOGRAVURE Azer (Corpus), Arc-en-ciel (Témoignages et Documents).

Table des matières